T'es branché?

1A

Workbook

Avec la collaboration de

Jacques Pécheur

EMC Publishing®

ST. PAUL

Editorial Director: Alejandro Vargas
Developmental Editor: Diana I. Moen
Associate Editor: Nathalie Gaillot
Production Editor: Sarah Kearin

Cover Design: Leslie Anderson
Design and Production Specialist: Valerie King
Illustrations: S4Carlisle Publishing Services
Copy Editor/Proofreader: Jamie Gleich Bryant

Differentiated Learning: Some of the activities in Level 1A/1B *T'es Branché?* Workbook are marked with an **A** to indicate basic activities, or a **B**, to indicated advanced activities for vocabulary and grammar practice. The activities based on the culture section are not differentiated in this way.

Care has been taken to verify the accuracy of information presented in this book. However, the authors, editors, and publisher cannot accept responsibility for Web, e-mail, newsgroup, or chat room subject matter or content, or for consequences from application of the information in this book, and make no warranty, expressed or implied, with respect to its content.

We have made every effort to trace the ownership of all copyrighted material and to secure permission from copyright holders. In the event of any question arising as to the use of any material, we will be pleased to make the necessary corrections in future printings. Thanks are due to the aforementioned authors, publishers, and agents for permission to use the materials indicated.

ISBN 978-0-82196-673-0

© EMC Publishing, LLC
875 Montreal Way
St. Paul, MN 55102
Email: educate@emcp.com
Website: www.emcp.com

Printed in the United States of America

21 20 19 18 17   5 6 7 8 9 10

CONTENTS

Unité 1

Leçon A 1
Leçon B 6
Leçon C 9

Unité 2

Leçon A 13
Leçon B 24
Leçon C 31

Unité 3

Leçon A 40
Leçon B 53
Leçon C 64

Unité 4

Leçon A 80
Leçon B 93
Leçon C 104

Unité 5

Leçon A 114
Leçon B 125
Leçon C 135

Unité 1: Bonjour, tout le monde!

Leçon A

1A Based on the level of formality needed to address the following people, write **Bonjour!** or **Salut!** next to each name.

1. Madame Lucas: _____

2. Léo: _____

3. Sophie: _____

4. Monsieur Lucas: _____

5. Bruno et Karim: _____

6. Malika: _____

7. Monsieur et Madame Rousset: _____

8. Madame Tortevoie: _____

2A Write an appropriate greeting for each of the following people.

      Modèle   Monsieur Édouard, your chemistry teacher
                Bonjour, monsieur!

1. your best friend _____

2. a woman you are being introduced to _____

3. your uncle _____

4. your cousins Malia and Roger _____

5. Alex, a new student at school _____

6. Mademoiselle Aimée, who works at your favorite shopping mall

    _____

7. a teen you met on the subway yesterday _____

3A Answer each of the following questions in three different ways. Follow the **Modèle**.

> **MODÈLE** Tu t'appelles comment? (Myriam)
> **Je m'appelle Myriam.**
> **Je suis Myriam.**
> **Moi, c'est Myriam.**

1. Tu t'appelles comment? (Anaïs)

   _____

   _____

   _____

2. Tu t'appelles comment? (Lucas)

   _____

   _____

   _____

3. Tu t'appelles comment? (Rahina)

   _____

   _____

   _____

4. Tu t'appelles comment? (Émilie)

   _____

   _____

   _____

5. Tu t'appelles comment? (Lamine)

   _____

   _____

   _____

6. Et toi, tu t'appelles comment?

   _____

   _____

   _____

4A Introduce the following people, using the correct expressions from the list below.

mon camarade de classe   ma camarade de classe   mon copain   ma copine

> **MODÈLES** Kelly, your classmate   Darren, your friend
> C'est **ma camarade de classe.**   C'est **mon copain.**

1. Adriana, your friend

   C'est _____.

2. John, your classmate

   C'est _____.

3. Natalie, your friend

   C'est _____.

4. Henry, your friend

   C'est _____.

5. Paul, your classmate

   C'est _____.

6. Alissa, your classmate

   C'est _____.

5B Write sentences to introduce one friend and one classmate of each gender.

MODÈLE   Daniel, c'est mon camarade de classe.

_____

_____

_____

_____

6B Complete the following sentences with the appropriate missing words.

1. Je m' _____ Jérémie.

2. Moi, c'_____ Timéo.

3. Je _____ Sabrina.

4. _____ Saniyya.

5. C'_____ Virginie.

6. Je te _____ Amir.

7. Moi, je m'_____ Sarah.

7A Complete the sentences by writing the nationalities of the following people. Follow the **Modèle**.

MODÈLE   Patrick est français, Patricia est **française.**

1. Pierre-Louis est canadien, Jeanne est _____.

2. Aïcha est algérienne, Amir est _____.

3. Jesse est américain, Keita est _____.

4. Jean est américaine, Julian est _____.

5. Mégane est française, David est _____.

6. Talia est canadienne, Aiden est _____.

7. Karim est algérien, Karima est _____.

8. Cédric est français, Océane est _____.

8A Match each illustration to the appropriate dialogue.

A   B   C   D

_____ 1. - Charlotte, je suis canadienne.
             - Moi c'est Lilou, je suis française.

_____ 2. - Allô, Coralie, c'est Khaled!
             - Salut, Khaled!

_____ 3. - Pierre, je te présente Madame Lucas.
             - Enchanté.

_____ 4. - Tu t'appelles comment?
             - Moi, c'est Antoine.

9B Respond to the following situations in French.

1. Tu t'appelles comment?

_____

2. Je te présente Coralie.

_____

3. Tu t'appelles Awa?

_____

4. C'est Evenye, ma camarade de classe.

_____

5. Tu es français, ou française?

_____

6. Comment allez-vous?

_____

7. Je suis algérien, et toi?

_____

Nom: _____ Date: _____

10B Use the information in each paragraph to complete the ID card below it.

1. Bonjour, je m'appelle Monsieur Laberge, mon prénom c'est Damien. Je suis du Canada, de Montréal. Je suis né (*born*) en 1958.

2. Salut! Comment ça va? Moi c'est Rosalie, Rosalie Jacquin. Ça va très bien! Je suis de Paris. Je suis née (*born*) en 2001.

CARTE D'IDENTITÉ

Nom: _____

Prénom: _____

Sexe (*gender*): _____

Date de naissance (*birthdate*): _____

Nationalité (*nationality*): _____

CARTE D'IDENTITÉ

Nom: _____

Prénom: _____

Sexe (*gender*): _____

Date de naissance (*birthdate*): _____

Nationalité (*nationality*): _____

3. Allô? Monsieur Duvalier? C'est Félix Atalier d'Algérie. Je suis né en 1988.

4. Oui? Jacqueline? C'est Ariana, Ariana Dupont, de Minneapolis. Je suis née en 2000.

CARTE D'IDENTITÉ

Nom: _____

Prénom: _____

Sexe (*gender*): _____

Date de naissance (*birthdate*): _____

Nationalité (*nationality*): _____

CARTE D'IDENTITÉ

Nom: _____

Prénom: _____

Sexe (*gender*): _____

Date de naissance (*birthdate*): _____

Nationalité (*nationality*): _____

11 Complete the following activities in English according to the **Points de départ** in **Leçon A.**

1. Go online and look up French first names. Can you find a French equivalent of your name?

_____

2. Find three first names that are exactly the same in English as in French.

_____ _____ _____

3. Find three French first names that do not exist in English.

_____ _____ _____

Leçon B

12A Based on the level of formality required for each conversation, write **Au revoir!** or **Salut!**

1. M. George à Mme Dumarais: _____

2. Maxime à Mathias: _____

3. Le professeur à Paul: _____

4. Paul au professeur: _____

5. Yasmine à Tom: _____

6. Maxime à Mme Charlebois: _____

13A Say how each person is doing, according to the illustrations.

1. Anaïs

2. Paul

3. M. et Mme Dubois

4. Alexandre

5. Marlène

6. Saphia et Karima

1. _____ 2. _____ 3. _____

4. _____ 5. _____ 6. _____

14B Use the following expressions to complete each of the conversations below.

Tu vas bien?   Comment allez-vous?   Ça va?   Et toi?   Comment tu vas?   Et vous?

1. _____
   - Oui, ça va.

2. _____ Madame?
   - Je vais bien. Merci.

3. _____
   - Pas mal!

4. - Salut Moussa, _____
   - Comme ci, comme ça!

5. _____ monsieur Grand?
   - Pas trop mal, merci.

6. _____, Amélie?
   - Ça va, merci.

15A Circle the word or expression which does not belong.

1. A. Madame
   B. Salut!
   C. Ça va?
   D. Et toi?

2. A. Mademoiselle Labec
   B. Madame Bérard
   C. Monsieur Lenoir
   D. Sarah

3. A. Pas très bien.
   B. Très bien.
   C. À demain!
   D. Comme ci, comme ça.

4. A. toi
   B. un garçon
   C. une fille
   D. un camarade de classe

16B Create logical sentences by placing the elements in the correct order.

1. vas / Salut / bien / tu / , / ?

   _____

2. comme ci / Ça / comme ça / va / , / .

   _____

3. allez / Madame / bien / Bonjour / vous / , / ?

   _____

4. tu / comment / Salut / vas / , / ?

   _____

5. merci / trop / Pas / mal / , / .

   _____

17 Complete the following activity according to the **Points de départ** in **Leçon B.**

Download a map of Europe and locate four European countries where French is spoken. Indicate the official language of the country, as well as other languages that are spoken there.

_____

_____

_____

_____

_____

_____

_____

18 Give the English definition for each of the following words. Refer to the **Points de départ** in **Leçon B.**

1. la rentrée _____

2. un cartable _____

3. une langue d'ouverture _____

4. la francophonie _____

Leçon C

19A Write each word from the list in the correct category.

le cinéma   le centre commercial   le café   la fête   la maison

Les lieux de loisirs *(places where you spend your free time)*	Les lieux de consommation *(places where you buy things)*

20A Say where you go, according to the illustrations.

1. On va _____.   2. On va _____.

3. On va _____.   4. On va _____.   5. On va _____.

21B Rearrange the following sentences to create a coherent dialogue.

> Pas possible. Je dois faire mes devoirs.
> On va au centre commercial?
> Ça va bien, merci. Et toi?
> Je vais mal.
> Salut Marc, ça va?

1. _____

2. _____

3. _____

4. _____

5. _____

22A Complete the following sentences with **peux**, **veux**, or **dois**.

1. On va au centre commercial?

   Non, je _____ aider ma mère.

2. On va au café?

   Oui, je _____ bien.

3. On va au cinéma?

   Oui, je _____.

4. Tu viens à la fête?

   Non, je ne _____ pas.

5. Tu voudrais aller au lycée?

   Non, je _____ faire les devoirs.

6. Tu veux aller à la maison?

   D'accord, je _____ bien.

23B How would you respond to the following people?

      MODÈLE   Your father asks you to help him fix the car.
                    Oui, je veux bien.

1. Your best friend invites you to the movies.

   _____

2. A stranger asks you to have coffee with him.

   _____

3. A boy or girl that your best friend likes invites you to a party without your best friend.

   _____

4. Your sister asks you to take her to the mall.

   _____

5. A student in your French class asks for your help with homework.

   _____

24 Find French websites that are popular among French teenagers by typing **sites pour ados** into your search engine. Which sites are most popular? Choose one and browse it thoroughly. Is it similar to any American website(s) that you know? Explain.

   _____

   _____

   _____

   _____

   _____

   _____

   _____

   _____

25 Refer to the **Points de départ** in **Leçon C** to correct the following statements.

> **MODÈLE** Martinique is located in the Indian Ocean.
> **Martinique is located in the Caribbean.**

1. Martinique and Guadeloupe are African countries.

   _____

2. People speak Malinké and Peul in Martinique and Guadeloupe.

   _____

3. Aimé Césaire is an African musician and singer.

   _____

4. La Guyane française is a sub-Saharan country near the Democratic Republic of the Congo.

   _____

5. La Guyane française is best known for its ecotourism.

   _____

Unité 2: Les passe-temps

Leçon A

1A Categorize each of the following activities as a sports activity (**activité sportive**) or a social activity (**activité sociale**).

faire du ski alpin	aller au cinéma	nager	faire du vélo
faire du patinage	faire du shopping	faire du roller	aller au café
sortir avec mes amis	manger des frites		

Activités sportives:

_____

_____

_____

_____

_____

Activités sociales:

_____

_____

_____

_____

_____

2A Complete each of the following responses by adding a phrase using **J'aime** … or **Je n'aime pas** ….

1. Tu aimes faire du shopping? Oui, _____

2. Tu aimes faire du vélo? Non, _____

3. Tu aimes jouer au basket? Non, _____

4. Tu aimes aller au cinéma? Oui, _____

5. Tu aimes faire du footing? Oui, _____

6. Tu aimes jouer au foot? Non, _____

7. Tu aimes plonger? Oui, _____

8. Tu aimes faire du patinage artistique? Non, _____

Nom: _____ Date: _____

3A Describe the weather conditions based on each of the sentences below.

      MODÈLE   Your dad is putting on his raincoat.
                 Il fait mauvais.

1. You grab your umbrella.

    _____

2. Your sister is wearing boots.

    _____

3. Your friends are playing outside.

    _____

4. The sun is bright in your room.

    _____

5. You hear thunder.

    _____

6. Your family is going on a picnic.

    _____

4B The calendar below tells you what the weather will be like each day this week. Tell your friend the forecast for the following days, as well as an activity you would like to do on that day.

      MODÈLE   lundi
                 Lundi, il fait mauvais. Je voudrais aller au café.

Météo	
LUNDI	
MARDI	
MERCREDI	
JEUDI	
VENDREDI	
SAMEDI	
DIMANCHE	

1. mardi

    _____

2. mercredi

    _____

3. jeudi

    _____

4. vendredi

    _____

5. samedi

    _____

6. dimanche

    _____

5B Use the following sentences to ask people questions about what they like to do. Follow the **modèles**.

MODÈLES J'aime faire du shopping. (*ma copine*)
       Qu'est-ce que tu aimes faire?
       Tu aimes faire du shopping?

       J'aime faire du footing. (*monsieur Dubois*)
       Qu'est-ce que vous aimez faire?
       Vous aimez faire du footing?

1. J'aime jouer au foot. (*mon père*)

  _____

  _____

2. J'aime faire du footing le dimanche. (*madame Rousset*)

  _____

  _____

3. J'aime manger des pâtes. (*mon copain*)

  _____

  _____

4. J'aime aller au centre commercial le mercredi. (*ma mère*)

  _____

  _____

5. J'aime faire les devoirs à la maison. (*ma camarade de classe*)

  _____

  _____

6. J'aime manger de la pizza au café le dimanche. (*monsieur Xavier*)

  _____

  _____

7. J'aime faire de la gym le lundi, mardi, mercredi, jeudi, vendredi, samedi, et dimanche.
 (*mademoiselle Langue*)

  _____

  _____

6B Answer the following questions.

1. Tu voudrais faire du patinage artistique avec ton camarade de classe?

   _____

   _____

2. Tu veux faire du ski samedi?

   _____

   _____

3. Qu'est-ce que tu aimes faire le dimanche?

   _____

   _____

4. Il fait beau. Tu voudrais faire du shopping avec ton copain ou ta copine?

   _____

   _____

5. C'est vendredi. Tu voudrais manger une pizza au café?

   _____

   _____

6. C'est mardi. Tu voudrais jouer au hockey sur glace?

   _____

   _____

7. Tu veux faire de la gym avec ton père?

   _____

   _____

7 Refer to the **Points de départ** in **Leçon A** to complete the following activities.

1. Conduct online research to create a profile of **Pari Roller**. Find out what it consists of and who participates, as well as when and to whom it is open. Summarize your research in the space below.

_____

_____

_____

_____

_____

_____

_____

_____

_____

2. Use an online search engine to find out when, where, and in what events French professional athletes have earned medals at the Olympic games over the last two years.

_____

_____

_____

_____

_____

_____

_____

_____

_____

_____

8 Go online and research three of the following Parisian cultural points. Find three facts about each one. Use the questions below to help you think of interesting information to research.

A. Paris **arrondissements** (What are they? How many are there? Which are the most famous?)

B. The **Seine** river (How big is it? Where is it located? Can you swim in it?)

C. **La tour Eiffel** (How tall is it? What is it made of? When was it built? By whom? Why?)

D. **Le centre Pompidou** (When was it created? What is in it? Who was Pompidou?)

E. **La Grande Arche de la Défense** (What is that? Why is it called that? Is it a military project?)

F. **Le musée du Louvre** (When was it built? What's in there? How many tourists visit it each year?)

G. **Le musée d'Orsay** (When was it built? What's in there? Why would you (not) like to visit it?)

H. **Notre-Dame** (When was it built? What does it look like inside?)

I. **L'arc de Triomphe** (What is it? Where is it located? What does it look like?)

J. **Les Champs-Élysées** (What is it? What does the name mean?)

K. **La Place des Vosges** (Where is it? What is it? What can you do there?)

L. **Les Tuileries** (What is it? Who had it built? Why was it built?)

M. **Les jardins du Luxembourg** (Why does it have a foreign name? What is there to do or see there?)

1. _____

_____

_____

2. _____

_____

_____

3. _____

_____

_____

9A Circle the subject pronoun in each of the following sentences.

1. Papa et moi, nous désirons jouer aux jeux vidéo.

2. Maman, elle préfère faire de la gymnastique.

3. Toi et Gisèle, vous allez au café.

4. Toi, tu veux aller au cinéma avec moi?

5. Je veux voir un film au cinéma.

6. On va au parc?

7. Nous aimons jouer au tennis.

10A Complete each of the following sentences by writing the correct pronoun in the space provided.

1. Caroline, _____ aime faire du shopping.

2. Martin et Karim, _____ aiment aller au cinéma.

3. Monsieur Abraham, comment allez-_____?

4. _____ m'appelle Isabelle.

5. Mme Romain et Mlle Carreau, _____ aiment manger de la pizza.

6. _____ va au centre commercial?

7. _____ aimes faire du roller avec moi?

11A Based on the sentences below, indicate whether you should use **tu** or **vous** to address each person or group of people.

1. Salut, ça va?

   _____

2. Bonjour monsieur!

   _____

3. Irène et Amélie, on va au café dimanche?

   _____

4. Paul et Angèle, c'est mon père!

   _____

5. Non madame Martin, je dois aider ma copine.

   _____

6. Oui, je veux bien, Farid.

   _____

7. Allô? Monsieur et madame Abdou?

   _____

12A Complete the following sentences with the correct infinitive from the list below.

| faire les devoirs | manger des pâtes | sortir avec mes amis | faire du shopping |
| faire du footing | manger des frites | plonger | jouer au hockey |

1. J'aime _____ à la piscine.

2. Je n'aime pas _____ et manger une pizza.

3. Il fait mauvais. J'aime _____ au centre commercial.

4. Il fait beau. J'aime _____.

5. Tu aimes _____ à la maison?

6. Monsieur Albert, vous aimez _____ et un hamburger?

7. J'aime _____, Angie et Fred.

8. Nous aimons _____ en hiver.

13A Say what the following people are doing, according to the illustrations.

MODÈLE

Florence

Florence, **elle mange des pâtes.**

1. David et Hugo

2. toi et moi

3. M. Alain

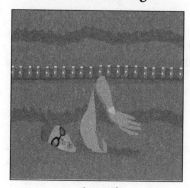

4. moi

5. toi

6. Marie

1. David et Hugo, _____

2. Toi et moi, _____

3. M. Alain, _____

4. Moi, _____

5. Toi, _____

6. Marie, _____

14A Complete each of the following sentences with the correct form of the appropriate verb from the list.

1. Tu _____ au foot le lundi. (*jouer*)

2. Vous _____ à la piscine le mardi. (*nager*)

3. Il fait mauvais. On _____ sortir avec les amis. (*désirer*)

4. Jennifer, elle _____ au hockey sur glace. (*jouer*)

5. Je te _____ Delphine. (*présenter*)

6. Nous te _____ Monica. (*présenter*)

7. Il _____ Gaïtan. (*s'appeler*)

8. Monsieur et Madame Lutin, ils _____ une salade? (*désirer*)

15B Answer affirmatively to each of the following questions, making sure to use the correct form of the verb.

1. Tu manges de la salade à la maison?

   _____

2. Malick et Antoine, ils aiment les frites?

   _____

3. Madame Durand, elle nage à la piscine?

   _____

4. Tu aimes faire du ski alpin?

   _____

5. Tu manges de la pizza le samedi?

   _____

6. Bernard et Salima, vous désirez une salade?

   _____

7. Alex, on joue au foot?

   _____

16B You made a new friend on your favorite social networking site. As you read a message from him, you notice that some words have been replaced with random symbols. To figure out the message, replace the symbols with the most logical word or verb form.

Salut,

Je m'(1) #### Karim. Je (2) **** algérien et j'(3) @@@@ au Canada. J' (4) !@!% jouer au foot, (5) #### du sport, et (6) &&&& avec des copains. Nous (7) %$%$ au basket, et nous (8) *^*^ aller au cinéma. Et (9) ^^^^? Tu (10) //// aller au (11) #@#* avec nous?

(12) ++++
Karim

1. _____   7. _____

2. _____   8. _____

3. _____   9. _____

4. _____   10. _____

5. _____   11. _____

6. _____   12. _____

Leçon B

17A Match the words from the column on the left with the words from the column on the right.

1. un texto   A. jouer

2. sur Internet   B. écrire

3. un lecteur MP3   C. regarder

4. un livre de français   D. envoyer

5. aux jeux vidéo   E. surfer

6. la télévision   F. lire

7. un portable   G. écouter

8. sur ordinateur   H. téléphoner

18B Your friend sent you a text message about his new girlfriend, but parts of it were accidentally deleted. Fill in the missing words below.

Salut! Ça va? Tu joues (1) _____ ou tu regardes

(2) _____? Ma copine s'appelle Naomie. Elle aime surfer

(3) _____ et écouter (4) _____. Elle n'aime pas

(5) _____ un livre et (6) _____ pour la classe

de français. Elle n'aime pas faire (7) _____, les pâtes, la salade. Elle aime

(8) _____ des textos.

19A Fill out the speech bubbles with **J'aime un peu**, **j'aime bien**, **j'aime beaucoup**, or **je n'aime pas**, according to the illustrations.

1.

2.

3.

4.

5.

6.

20B Answer the following questions in French.

1. Tu aimes écouter un CD?

   _____

2. Ton prof de gym, il aime faire la cuisine?

   _____

3. Ta camarade de classe, elle aime faire du sport?

   _____

4. Tes amis et toi, vous aimez surfer sur Internet?

   _____

5. Tu aimes téléphoner?

   _____

6. Tu joues aux jeux vidéo?

   _____

7. Madame _____[1] aime envoyer des textos?

   _____

8. Monsieur _____[2] aime regarder la télé?

   _____

---

[1]Your last name here.
[2]Your last name here.

21B Send a text message to a French friend you met online through your school. Say two things you and your family do, two things you like to do a lot or a little, and one thing you do not like to do at all. Then, ask your friend three questions about his or her habits and what he or she likes and dislikes.

22 Refer to the **Points de départ** in **Leçon B** to complete the following activities.

1. Go online to find out what events will take place on the Rhône or on the Saône in Lyon this year.

   _____

   _____

   _____

2. Find a restaurant in Lyon that is famous for its local cuisine. Download a menu and explain which dishes or ingredients are native to the region.

   _____

   _____

   _____

   _____

   _____

23B Match the terms in the left column with their definitions in the right column, according to the **Points de départ** in **Leçon B**.

1. Vieux Lyon   A. une société de jeux vidéo

2. Guignol   B. un festival

3. Mancala   C. un nom de quartier

4. Infogrammes   D. une marionnette

5. Fête des Lumières   E. un jeu traditionnel

24A You are having technical difficulties with your favorite social networking website. In the message you are about to send your friend Malika, all adverbs of value have been replaced with the corresponding mathematical sign. Replace the signs with the correct adverb before sending your message.

Salut Malika,

J'aime (1) ++ écouter de la musique et j'aime (2) +++ faire du sport. Aussi, j'aime (3) + manger des pâtes, mais j'aime (4) ++ envoyer des textos à mes amis. Quand il fait beau, j'aime (5) + faire la cuisine. Mon camarade de classe aime (6) +++ surfer sur Internet pendant la classe d'anglais. Aïe, aïe aïe! Moi, j'aime (7) ++ écrire. Et toi, tu aimes (8) + écrire?

Biz
Rose

1. _____   5. _____

2. _____   6. _____

3. _____   7. _____

4. _____   8. _____

25B Create logical sentences by placing the elements in the correct order.

1. beaucoup / de la musique / Nous / écouter / aimons / .

_____

2. écrire / aimes / Tu / un peu / ?

_____

3. des textos / Oui, / bien / envoyer / à mes amis / j'aime / .

_____

4. et / Khaled / aiment / surfer sur Internet / Rahina / un peu / .

_____

5. dimanche / faire la cuisine / beaucoup / aimez / Vous / ?

_____

6. envoyer / Sébastien / un texto / bien / à Myriam / aime / .

_____

26B Your classmate is running for class president. You decide to support him or her by writing a short article for the school website. In your article, include your classmate's name, nationality, two things he or she likes a little, one thing he or she likes, three things he or she likes a lot, and one thing he or she does not like at all. Write your article in French.

_____

_____

_____

_____

_____

_____

_____

_____

_____

_____

_____

_____

_____

_____

_____

_____

_____

_____

_____

_____

Workbook

Leçon C

27A Write the corresponding digit next to each spelled-out number below.

1. zéro _____

6. dix _____

2. quatorze _____

7. neuf _____

3. seize _____

8. douze _____

4. huit _____

9. deux _____

5. dix-huit _____

10. dix-neuf _____

28A Write out the following phone numbers in letters.

1. 01.18.04.17.16

_____

_____

2. 02.19.20.11.10

_____

_____

3. 06.03.01.02.15

_____

_____

4. 09.15.14.08.07

_____

_____

5. 02.12.13.18.05

_____

_____

29A Answer the following questions. Use complete sentences.

1. Tu préfères le foot ou le basketball?

   _____

2. Tu préfères le roller ou le shopping?

   _____

3. Tu préfères le cinéma ou le footing?

   _____

4. Tu préfères le rock ou le hip-hop?

   _____

5. Tu préfères la world ou la musique alternative?

   _____

6. Tu préfères le shopping ou le cinéma?

   _____

7. Tu préfères le foot ou le footing?

   _____

8. Tu préfères la télévision ou le cinéma?

   _____

30B Answer the following questions.

1. Tu aimes bien faire la cuisine?

   _____

2. Tes (*your*) amis et toi, vous aimez le cinéma, ou vous préférez surfer sur Internet?

   _____

3. Ton ou ta camarade de classe, il ou elle préfère envoyer des textos ou étudier?

   _____

4. Qu'est-ce que tu aimes bien faire?

   _____

5. Qu'est-ce que tes amis et toi, vous n'aimez pas faire?

   _____

6. Tes amis préfèrent écouter de la musique ou lire un livre?

   _____

31 The following statements may contain errors. Write **vrai** if the underlined part is true and **faux** if it is false. If it is false, correct that segment. Refer to the **Points de départ** in **Leçon C**.

1. Rachid Taha plays <u>world music</u>. _____

2. World music started in Algeria <u>in the 1990s</u>. _____

3. <u>South America</u> has influenced world music. _____

4. The name *Taha* means <u>the king of pop</u> in Arabic. _____

5. Rachid Taha's band was called <u>Douce France</u>. _____

6. Rachid Taha sings about <u>traditional values</u>. _____

32 Use the **Points de départ** in **Leçon C** to research the significance of the following dates, numbers, and nouns.

1. June 21

_____

2. 2005

_____

3. Carte de séjour

_____

4. 110

_____

5. 340

_____

6. Francofolies

_____

7. 5 millions

_____

8. Montreal

_____

33A Fill in the missing article before each noun. When using l', indicate the gender by writing (le) or (la) afterwards.

1. _____ hip hop

2. _____ cinéma

3. _____ musique

4. _____ ami

5. _____ télé

6. _____ ordinateur

7. _____ salade

8. _____ rock

9. _____ world

10. _____ shopping

34A Fill in the blanks using the correct form of the verb **préférer**.

MODÈLE   Jeanne **préfère** nager.

1. Nous _____ jouer au foot.

2. Tu _____ faire du roller?

3. Amina _____ manger des frites.

4. M. et Mme Lazzize, ils _____ aller au cinéma.

5. Moi, je _____ aller au parc.

6. Sophie et Malika, elles _____ écouter la musique alternative.

7. On _____ parler français.

8. Vous _____ manger à la maison?

Nom: _____ Date: _____

35B Say what the following persons prefer, based on the illustrations.

1. Maylis

2. vous

3. M. et Mme Moen

4. tu

5. nous

6. Max

7. Bruno et Jade

1. _____

2. _____

3. _____

4. _____

5. _____

6. _____

7. _____

36B You have been asked out on a date. Before you accept, write a list of eight questions to ask your potential date about what he or she likes, dislikes, and prefers, to see if you have anything in common. Use the verb **préférer** at least five times.

1. _____

2. _____

3. _____

4. _____

5. _____

6. _____

7. _____

8. _____

37A Write the following sentences in the negative form using **ne … pas**.

MODÈLE   Nous jouons au basket.
Nous ne jouons pas au basket.

1. Olivier aime faire la cuisine.

_____

2. Sarah mange avec Bertrand.

_____

3. Nous aimons plonger.

_____

4. Moussa joue au hockey.

_____

5. Saniyya et Raphaël aiment surfer sur Internet.

_____

6. Tu joues au foot mardi.

_____

Nom: _____ Date: _____

38B You and a partner are writing a play for your theater class. Your partner has given you a summary of the one he or she wants to write, but you have totally different ideas. Negate every idea below and make a new suggestion. Use the negative when you can, and then add a different phrase.

MODÈLES   Elle s'appelle Charlotte.
Elle ne s'appelle pas Charlotte. Elle s'appelle Nicole.

Elle préfère le hockey sur glace.
Elle ne préfère pas le hockey sur glace. Elle préfère la musique alternative.

> (1) Elle s'appelle Rahina et (2) il
> s'appelle Jean-Paul. (3) Ils sont
> américains. (4) Rahina aime un peu
> le rock et (5) Jean-Paul aime beaucoup
> le ski. (6) Ils préfèrent faire du shopping
> le dimanche. (7) Rahina aime envoyer
> des textos. (8) Elle veut écouter un CD.
> (9) Jean-Paul préfère aller au cinéma.
> (10) Jean-Paul aime un peu Rahina.

1. _____

2. _____

3. _____

4. _____

5. _____

6. _____

7. _____

8. _____

9. _____

10. _____

39B Write a paragraph about yourself: Who are you? What do you like and dislike? Write a minimum of eight sentences. Below are some topics you may want to include.

- your favorite music
- something you love to do
- something you hate to do
- your two favorite sports
- something you do a little
- something you do a lot
- something you and your best friend like to do
- a sport you play on a certain day of the week
- what you do when it is nice outside
- what you do when it is not nice outside

_____

_____

_____

_____

_____

_____

_____

_____

_____

_____

_____

_____

_____

_____

Unité 3: À l'école

Leçon A

1A Read each statement about the illustration below. Circle **VRAI** if the statement is true and **FAUX** if it is false.

1. Le tableau est devant le bureau.	VRAI	FAUX
2. L'ordinateur portable est sur le bureau.	VRAI	FAUX
3. Les deux tables sont derrière le bureau.	VRAI	FAUX
4. Le sac à dos est sous la chaise.	VRAI	FAUX
5. Le DVD est dans le sac à dos.	VRAI	FAUX
6. Le livre de français est avec le cahier.	VRAI	FAUX
7. Les stylos, les crayons, et le taille-crayon sont dans la trousse.	VRAI	FAUX
8. Le dictionnaire français-anglais est avec trois feuilles de papier.	VRAI	FAUX

2B Describe five objects on your desk using **sur**, **sous**, **devant**, **derrière**, **dans**, and **avec**.

_____

_____

_____

_____

_____

3A Write the name of each of the objects below in the correct category in the chart.

1. fournitures scolaires (school supplies)	2. matériel audiovisuel (audiovisual equipment)	3. mobilier de la classe (classroom furniture)

4A Complete the sentences below with a logical vocabulary word based on meaning.

1. J'ai trois stylos dans ma _____.

2. Le prof de français a un grand _____.

3. Il y a un ordinateur sur _____.

4. J'ai besoin d'_____ pour mon crayon.

5. Le cédérom est dans _____.

6. J'aime écouter de la musique avec _____.

7. _____ coûte 501,40€.

5B Write a short e-mail to your friend describing what there is in your French classroom. Mention at least six objects.

```
○ ○ ○

De:
À:
Objet:
```

Bonjour, _____

Ton ami(e), _____

6A Spell out each of the numbers below.

1. 21 _____

2. 35 _____

3. 92 _____

4. 67 _____

5. 56 _____

6. 76 _____

7. 38 _____

8. 81 _____

9. 44 _____

7A Write the corresponding digits for each of the spelled-out numbers below.

1. soixante-dix-huit _____

2. trente-neuf _____

3. quatre-vingt-trois _____

4. quarante et un _____

5. quatre-vingt-dix-neuf _____

6. soixante-deux _____

7. cinquante-huit _____

8. quarante-six _____

9. soixante-douze _____

8B Spell out the answers to the mathematical problems below in letters.

1. 78 – 31 = _____

2. 49 + 12 = _____

3. 6 × 13 = _____

4. 5 × 8 = _____

5. 83 – 12 = _____

6. 99 – 1 = _____

7. 8 × 8 = _____

8. 80 + 10 = _____

9. 90 + 10 = _____

9A Use the information provided to write a complete sentence telling the price of each item. Refer to the **Modèle**.

> Modèle   le DVD (vingt-sept)
> **Le DVD, il coûte 27 euros.**

1. la stéréo (quatre-vingt-huit)

   _____

2. la pendule (cinquante-quatre)

   _____

3. l'ordinateur portable (soixante-dix-huit)

   _____

4. le bureau du prof (quatre-vingt-dix-neuf)

   _____

5. la fenêtre (soixante et un)

   _____

6. quatre DVD (quarante-cinq)

   _____

7. deux dictionnaires (cinquante-deux)

   _____

10 According to the description of **Carrefour** in the **Points de départ** in **Leçon A**, say whether or not one might purchase the following articles there by writing **oui** or **non** next to the item.

1. un cahier _____

2. un prof _____

3. une fenêtre _____

4. des rollers _____

5. une école _____

6. une affiche _____

7. un lecteur MP3 _____

8. un taille-crayon _____

11 Answer the following questions in English, according to the **Points de départ** in **Leçon A**.

1. What do French students do when they cannot afford to buy their school supplies?

   _____

   _____

2. Do French students have to purchase their high-school textbooks?

   _____

   _____

3. When did the euro enter in circulation in France?

   _____

   _____

4. Which euro coins or bills, and how many of each, could you use to pay for a stereo that costs 42,80 €?

   _____

   _____

5. How are euro coins different from euro bills?

   _____

   _____

6. What kind of new services are now offered by businesses in France?

   _____

   _____

7. Name two types of online services offered by French schools.

   _____

   _____

12 Go online and, using the keyword **Carrefour**, find six different school supplies you would like to purchase. On the lines below, write the name of each school supply and how much it costs.

1. _____

2. _____

3. _____

4. _____

5. _____

6. _____

13A Complete the following sentences by filling in the correct indefinite article.

1. J'ai besoin d'_____ sac à dos.

2. Il y a _____ trousse sur la table.

3. J'achète _____ dictionnaire à Carrefour.

4. Il y a _____ pendule et _____ carte dans la salle de classe.

5. Le stylo est sur _____ feuille de papier.

6. J'aime écouter de la musique avec _____ stéréo.

7. Sur la table, il y a _____ ordinateur et _____ taille-crayon.

14A For each item below, change the definite article to an indefinite article.

        MODÈLE   le stylo
                      un stylo

1. l'affiche _____

2. le sac à dos _____

3. la stéréo _____

4. la pendule _____

5. le lecteur de DVD _____

6. la carte _____

7. la table _____

8. la fenêtre _____

15B Complete the following sentences by filling in the correct article. Use the definite article with **aimer** and **préférer**, and the indefinite article with **c'est** and **il y a**.

        MODÈLES   J'aime **le** taille-crayon.
                     C'est **une** trousse.

1. C'est _____ ordinateur portable.

2. Tu aimes _____ sac à dos?

3. C'est _____ chaise.

4. Il n'aime pas _____ affiche du film.

5. C'est _____ dictionnaire de français.

6. Nous préférons _____ DVD.

7. Oui, il y a _____ stéréo derrière le bureau.

8. Il y a _____ tableau dans la salle de classe?

16A Write the plural of each of the following nouns.

> MODÈLE   une fenêtre
> **des fenêtres**

1. un stylo _____

2. le livre de classe _____

3. l'affiche de cinéma _____

4. un crayon _____

5. un DVD _____

6. le cahier de classe _____

7. une feuille de papier _____

17B Rewrite the following sentences using the plural articles instead of the singular. Don't forget to make the nouns plural as well.

> MODÈLE   Patrick a <u>une trousse</u>.
> **Patrick a des trousses.**

1. Il y a <u>une pendule</u> dans la classe de français.

   _____

2. La salle de classe a <u>une porte</u>.

   _____

3. J'aime <u>le sac à dos</u> de Raoul.

   _____

4. Le prof de gym a <u>un lecteur MP3</u>.

   _____

5. Je préfère <u>l'affiche</u> dans la classe de français.

   _____

6. Il y a <u>une fenêtre</u> dans la classe d'anglais.

   _____

18A Complete the answers to the following questions using the correct form of **avoir**.

1. M. Robert a besoin d'une table?

   Oui, il _____

2. Tu as besoin d'un DVD?

   Oui, j' _____

3. Vous avez un dictionnaire de français?

   Oui, nous _____

4. Les élèves ont des cahiers?

   Oui, ils _____

5. Nous avons des livres dans la classe?

   Oui, vous _____

6. Tu as des CD de musique française?

   Oui, j' _____

7. Les profs ont un ordinateur?

   Oui, ils _____

8. Mathieu a des CD de musique française?

   Oui, il _____

19B Write complete sentences using the verb **avoir**.

> MODÈLE   Amina et Gaëlle/un sac à dos
> **Amina et Gaëlle ont un sac à dos.**

1. Jean/une affiche de film

_____

2. Vous/des DVD

_____

3. Je/un taille-crayon

_____

4. Maxime et Rachid/des livres scolaires

_____

5. Nous/une feuille de papier

_____

6. Tu/trois crayons

_____

7. On/un lecteur de DVD

_____

8. Les élèves/des lecteurs MP3

_____

20A Say what the following persons need, using **avoir besoin de**.

MODÈLE Lilou a besoin d'un stylo.

Lilou

1. Farid

2. je

3. Greg et Bill

4. le prof

5. Jeanne et Géraldine

1. _____

2. _____

3. _____

4. _____

5. _____

21B Write six sentences describing what people in your class have and what they need. Use the verb **avoir** and the expression **avoir besoin de**. You must use at least four different pronouns.

_____

_____

_____

_____

_____

_____

_____

_____

_____

_____

_____

_____

_____

_____

_____

_____

Leçon B

22A Draw lines to connect the disciplines in the left column with the corresponding associations in the right column.

1. la biologie	A. "mi amigo"
2. l'anglais	B. Pierre-Auguste Renoir
3. les arts plastiques	C. C.S. Lewis
4. les mathématiques	D. Michael Jackson
5. l'histoire	E. $ax^2 + bx + c = 0$
6. l'espagnol	F. "je ne sais quoi"
7. le français	G. "Guten Tag"
8. l'informatique	H. Bill Gates
9. la chimie	I. les plantes
10. la musique	J. 1939–1945
11. l'allemand	K. H_2O

Nom: _____ Date: _____

23B Write the name of the discipline, based on each of the following descriptions.

    MODÈLE   Nous écoutons la world.
              la musique

1. Le prof a une carte de Paris. _____

2. Dans mon sac à dos, j'ai un dictionnaire. _____

3. Mon livre s'appelle *Aventura*. _____

4. Vingt huit + trente = cinquante-huit _____

5. Dans la classe, il y a une carte de Berlin. _____

6. Nous aimons Picasso et Rodin. _____

7. Il y a un ordinateur sur la table. _____

8. Je ne skie pas, mais je joue au basket. _____

9. On étudie Abraham Lincoln. _____

24A Match the clocks with the written times.

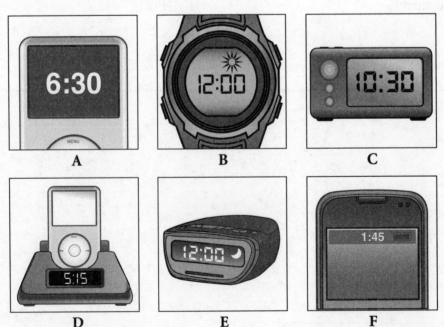

A   B   C

D   E   F

_____ 1. Il est minuit.   _____ 4. Il est deux heures moins le quart.

_____ 2. Il est cinq heures et quart.   _____ 5. Il est midi.

_____ 3. Il est six heures et demie.   _____ 6. Il est dix heures et demie.

Nom: _____ Date: _____

25A Write a complete sentence to say what time it is.

MODÈLE **Il est minuit.**

1. _____

2. _____

3. _____

4. _____

5. _____

6. _____

26B Transform the following A.M. times into P.M. times using **l'heure officielle**.

> MODÈLE   4h25
> **16h25**

1. 2h30 _____

2. 5h00 _____

3. 8h15 _____

4. 2h10 _____

5. 1h45 _____

6. 3h20 _____

7. 12h00 _____

8. 11h26 _____

27A Complete the following sentences with the correct adjective from the list.

> difficile   intéressant   facile   drôle   intelligent   énergique

1. Pour moi, la biologie est _____; j'aime ça!

2. Ha ha ha, ton copain est très _____.

3. Albert Einstein est un homme _____.

4. J'aime le sport, je suis très _____.

5. Bien, c'est _____!

6. Ahmed n'aime pas l'histoire, pour lui c'est _____.

28B Answer the following questions in French. Write complete sentences.

1. Comment est ton cours de français?

   _____

2. Tu étudies l'allemand dans la classe de français?

   _____

3. Tu as combien de cours de sciences?

   _____

4. À quelle heure tu as le cours de musique?

   _____

5. Tu vas à l'école le samedi à onze heures?

   _____

6. Tu manges à quelle heure?

   _____

29 In your opinion, what are three differences and three similarities between French schools and American schools? Refer to the **Points de départ** in **Leçon B**.

Similarities

1. _____

2. _____

3. _____

Differences

1. _____

2. _____

3. _____

30 Write the English definition for each of the following French words.

1. le collège _____

2. le bac _____

3. le lycée _____

31 Choose the correct answer, based on the information in the **Points de départ** in **Leçon B**.

1. Un **toere** est …
   A. un bateau.
   B. un instrument de musique.
   C. un cours de lycée.

2. Un **pareo** est …
   A. un vêtement.
   B. une décoration corporelle.
   C. un prof de collège.

3. Un **brevet** est …
   A. un examen médical.
   B. un examen de lycée.
   C. un examen de collège.

4. Name a famous Lycée in Martinique.
   A. Le lycée Gauguin
   B. Le lycée Monet
   C. Le lycée Schoelcher

32A Spell out each of the following times.

MODÈLE   14h15
          Il est quatorze heures quinze.

1. 07h00 _____

2. 09h25 _____

3. 10h35 _____

4. 7h30 _____

5. 00h15 _____

6. 1h00 _____

33B Write a complete sentence to answer each of the questions below. Spell out the suggested times in letters.

MODÈLE   On a chimie à quelle heure? (11h30)
On a chimie à onze heures et demie.

1. Tu as cours à quelle heure? (8h15)

   _____

2. Nous avons EPS à quelle heure? (18h30)

   _____

3. On a biologie à quelle heure? (14h00)

   _____

4. On va au café à quelle heure? (20h15)

   _____

5. On va à la teuf à quelle heure? (10h15)

   _____

6. Rachid écoute la musique au concert à quelle heure? (24h00)

   _____

7. Maman regarde la télévision à la maison à quelle heure? (11h00)

   _____

8. On va au centre commercial à quelle heure? (13h00)

   _____

34A Complete each sentence with the correct form of the verb **être**.

1. Nous _____ américains.

2. Ella _____ étudiante.

3. L'école Schoelcher _____ intéressante.

4. Vous _____ anglais, n'est-ce pas?

5. Les élèves de Mme Moen, ils _____ énergiques.

6. Les filles, elles _____ strictes.

7. Tu _____ française?

8. Je _____ algérien.

35A Write the adjectives below next to the nouns they agree with. There may be more than one adjective that agrees with each noun. Write all that apply gramatically and logically.

intelligent	drôle	intéressantes	énergiques
drôles	difficiles	intéressante	intelligente

1. les garçons _____

2. Mme Chantal _____

3. Abdel _____

4. les sciences physiques _____

5. toi _____

6. les filles _____

7. la biologie _____

8. le président des États-Units _____

36A Based on the gender and number of each subject below, write the correct forms of the adjectives in parentheses.

1. Khaled (algérien, drôle, intelligent)

   _____

2. Nathalie (énergique, français, intéressant)

   _____

3. Les matières de l'école (facile, anglais, français)

   _____

4. Le prof d'anglais (enchanté, strict, intelligent)

   _____

5. Les copains de Jacques (algérien, drôle, énergique)

   _____

6. Des pendules (drôle, algérien, intéressant)

   _____

37B Answer the following questions using the adjective in parentheses. Remember to make the gender of the adjective agree with the gender of the noun.

> **MODÈLE**   Le professeur de maths, il est comment? (intéressant)
> **Il est intéressant.**

1. Le prof de biologie, il est comment? (drôle)

    _____

2. La prof d'arts plastiques, elle est comment? (intelligent)

    _____

3. La prof d'histoire, elle est comment? (strict)

    _____

4. Ta copine, elle est comment? (intéressant)

    _____

5. Ta prof de chimie, elle est comment? (top)

    _____

6. Ton copain, il est comment? (génial)

    _____

7. Ton prof d'allemand, il est comment? (énergique)

    _____

38B Write a sentence to describe the following people. Use at least two adjectives in each sentence.

1. ton prof de physique

    _____

2. Paris Hilton

    _____

3. Le président des États-Unis

    _____

4. Justin Bieber

    _____

39B Complete Yasmine's profile on her favorite social networking site. Then create your own.

Nom	Yasmine
Âge	J'ai 16 _____.
Tout sur moi	Je suis (génial, strict, sérieux) _____.
Nationalité	Je suis (français) _____ et (algérien) _____.
Musique préférée	J'aime bien la musique (canadien) _____ et les films (américain) _____.
Cours préféré	J'aime les arts plastiques, mais les sciences physiques sont (intéressant) _____.

Nom	
Âge	
Tout sur moi	
Nationalité	
Musique préférée	
Cours préféré	

Leçon C

40A Match each of the following places with the corresponding activity.

1. la médiathèque

2. le magasin

3. le stade

4. la salle d'informatique

5. la teuf

6. la piscine

7. la cantine

8. chez moi

A. manger

B. lire

C. acheter des cahiers, etc.

D. faire du sport

E. nager

F. regarder la télé

G. sortir

H. étudier sur l'ordinateur

41A Read the names of the places below. Then, write the name of the place in the **loisirs** column (if it pertains to hobbies) or the **école** column (if it pertains to school).

le magasin   la piscine   le laboratoire de physique   la ville

la médiathèque   le parc   le bureau du proviseur   la salle d'informatique

le café   le centre commercial   le cinéma

loisirs	école

42A Complete the following sentences with the correct preposition. Choose **au, à la, à l', aux, en**, or **chez**.

1. Je vais _____ piscine.

2. Je vais _____ café.

3. Je vais _____ médiathèque.

4. Je vais _____ stade.

5. Je vais _____ cantine.

6. Je vais _____ ville.

7. Je vais _____ moi.

8. Je vais _____ centre commercial.

43B Say what the following people are doing and where they are doing it, according to the illustrations.

MODÈLE   **Ils mangent une pizza au restaurant.**

1.   2.   3.

4.   5.   6.   7.

1. _____

2. _____

3. _____

4. _____

5. _____

6. _____

7. _____

44A Write a question for each of the following answers using **quand**, **où**, or **pourquoi**. Follow the **Modèle**.

> **MODÈLE**   On va <u>au café</u>.
> **On va où?**

1. Delphine étudie à la médiathèque <u>à onze heures</u>.

   _____

2. J'aime beaucoup l'histoire <u>parce que le prof est drôle</u>.

   _____

3. On va <u>à la cantine</u> parce qu'on a faim.

   _____

4. Toi et John, vous avez arts plastiques <u>à midi</u>?

   _____

5. Les profs sont <u>à la cantine</u>.

   _____

6. Nous sommes à la salle d'informatique <u>parce que nous avons des devoirs</u>.

   _____

7. Mon père et ma mère désirent aller au cinéma <u>à vingt heures trente</u>.

   _____

8. Ma camarade de classe adore nager <u>à la piscine</u>.

   _____

45B Write a question for each of the following answers using **quand**, **où**, or **pourquoi**.

1. Après le déjeuner, j'étudie à la salle informatique.

   _____

2. On va au ciné à 18h.

   _____

3. Je ne peux pas aller à la piscine parce que je dois aller chez ma mère.

   _____

4. Après le cours de physique, j'ai anglais.

   _____

5. Après le dîner, je veux sortir avec mes amis.

   _____

6. Je ne veux pas téléphoner parce que je préfère surfer sur Internet.

   _____

7. Je préfère faire du sport au stade du lycée.

   _____

8. Je vais à la piscine vers midi.

   _____

46B Answer the following questions in French.

1. Qu'est-ce que tu voudrais faire samedi?

   _____

2. À quelle heure tu vas au cinéma avec tes amis?

   _____

3. Tu fais tes devoirs à la médiathèque ou chez toi?

   _____

4. Qu'est-ce que tu achètes en ville?

   _____

5. Tu manges à la cantine à l'école?

   _____

6. Où est-ce que tu préfères manger?

   _____

7. Où est-ce que tu fais du sport?

   _____

47 Describe the following items on a French cafeteria menu in English. Refer to the **Points de départ** in **Leçon C**.

1. pâté en croûte _____

2. quiche _____

3. bœuf bourguignon _____

4. escalope de poulet à la strogonoff _____

5. escalope de bœuf _____

48 Find four similarities and four differences between French and American school lunches. Refer to the **Points de départ** in **Leçon C**. You may also conduct additional research.

Similarities

1. _____

_____

2. _____

_____

3. _____

_____

4. _____

_____

Differences

1. _____

_____

2. _____

_____

3. _____

_____

4. _____

_____

49 Look at the menu from the **Lycée Jeanne d'Arc** on p. 143 of your textbook. Write down the names of dishes that fall into each of the categories below. Include as many dishes as you can.

1. meats:

_____

_____

2. fish:

_____

_____

3. vegetables:

_____

_____

_____

_____

4. fruits:

_____

_____

5. pastries:

_____

_____

6. dairy:

_____

_____

50A Complete the following sentences using the correct form of the verb **aller**.

1. Tu _____ bien?

2. Comment _____-vous, monsieur Grincheux?

3. Je _____ à la maison.

4. Aline _____ au cinéma.

5. Nous _____ en ville dimanche.

6. Les élèves _____ comme-ci, comme-ça.

51B Say where the following people go to do the activities mentioned.

MODÈLE   Awa et Pascale mangent.
          Elles vont au restaurant.

1. Albert nage.

   _____

2. Nous achetons des cahiers.

   _____

3. Tu regardes un film d'horreur.

   _____

4. Les garçons jouent au foot.

   _____

5. Je bois un café.

   _____

6. Le prof de français mange un gratin dauphinois.

   _____

7. Vous faites du roller.

   _____

8. On étudie en classe de maths.

   _____

52A Based on the illustrations below, say where people go and at what time.

MODÈLE

Ils vont au parc à onze heures et demie.

11h30

1. 13h25

2. 9h15

je

3. 12h30

tu

4. 18h45

5. 23h00

je

6. 12h00

1. _____

2. _____

3. _____

4. _____

5. _____

6. _____

53B Detective Poireau needs to solve the case of who stole the class chemistry experiment last Monday at 3:00 P.M. For each suspect listed below, create a sentence using the verb **aller** to explain where the suspect is at the time of the crime and whether or not he or she has an alibi.

> **MODÈLE**   Marc, **il va au cinéma avec moi.**

1. Kelly, _____

2. Peter, _____

3. Mes amis et moi, _____

4. Tes amis et toi, _____

5. La prof de biologie, _____

6. Stephen, _____

7. Takeita, _____

8. Toi, _____

9. Moi, _____

54A Write **à la**, **au**, or **aux**.

1. Vous allez _____ salle d'informatique?

2. Non, on va _____ parc.

3. Tu vas _____ labo?

4. Non, je vais _____ piscine.

5. Elles vont _____ centre commercial?

6. Non, elles vont _____ médiathèque.

7. Il va _____ Jeux Olympiques?

8. Non, il va jouer _____ jeux vidéo.

55A Rewrite each sentence below to include the place where the action takes place.

> **MODÈLE**   Tu manges.
> **Tu manges à la cantine.**

1. Je fais mes devoirs.

   _____

2. Mes amis jouent au volley-ball.

   _____

3. Ma mère aime faire du shopping.

   _____

4. Nous allons voir un film.

   _____

5. Mon père regarde la télévision.

   _____

6. Je téléphone à Rachid.

   _____

7. Tu écoutes de la musique.

   _____

8. Vous travaillez sur l'ordinateur.

   _____

56B Damien is looking for his friends. He calls them all on his cell phone to ask where they are. Complete the speech bubbles in the illustrations.

MODÈLE

1.

2.

3.

4.

5.

6.

Nom: _____ Date: _____

57B Write an e-mail to your friend in Switzerland explaining your daily or weekly routine. Tell him or her where you go on a school day and where you go on weekends. Also include the time at which you have certain classes and do certain things. Write a minimum of seven sentences.

○ ○ ○

De:
À:
Objet:

58A Based on the answers to the questions below, fill in the missing interrogative words.

1. - _____ tu aimes faire du roller?

   - Oui, j'adore ça!

2. - _____ nous allons manger?

   - Au restaurant américain.

3. - _____ Matthieu va à la médiathèque?

   - Pour étudier.

4. - _____ vous allez au cinéma?

   - Avec mes copains du lycée.

5. - _____ tu as cours d'allemand?

   - Lundi et mercredi.

6. - _____ nous allons faire du shopping?

   - Samedi après-midi.

7. - _____ Mme Rimbaud n'achète pas le livre?

   - Il coûte 50 €.

8. - _____ je fais mes devoirs?

   - Chez moi.

59B You arrive late to class and hear your classmates asking each other questions about Khaled, a new student. Based on the answers below, fill in the missing questions using **est-ce qu(e)**, **où est-ce qu(e)**, **quand est-ce qu(e)**, **avec qui est-ce qu(e)**, or **pourquoi est-ce qu(e)**.

1. _____

Oui, Khaled est français.

2. _____

Oui, il aime nager.

3. _____

Il étudie au lycée Pasteur.

4. _____

Il étudie avec Maxime et Pierre.

5. _____

Il va au lycée de 8h00 à midi et de 14h00 à 17h00.

6. _____

Non, le samedi il ne va pas au lycée, il reste chez lui.

7. _____

Il mange au restaurant parce qu'il aime la cuisine algérienne.

8. _____

Il reste à la maison pour aider sa mère.

60B You met someone whom you think could become a new friend, but first you need to get to know him or her better. Prepare eight questions to ask that person about his or her likes and dislikes, what school life is like, and with whom he or she hangs out. Use at least four different interrogative expressions.

1. _____

2. _____

3. _____

4. _____

5. _____

6. _____

7. _____

8. _____

61B Unfortunately, someone has told your best friend Eric that his girlfriend, Marie-Pierre, is seeing someone new. Eric is going on vacation for the week with his parents. In his absence, he asked you to record Marie-Pierre's whereabouts to help him find out if the rumors he heard are unfounded or based on facts. For each day of the week, write what Marie-Pierre does, where she goes, who she is with, and at what time.

MODÈLE   Lundi, **elle nage à la piscine avec son amie Jeanne à midi.**

1. Mardi, _____

2. Mercredi, _____

3. Jeudi, _____

4. Vendredi, _____

5. Samedi, _____

6. Dimanche, _____

Unité 4: Le weekend ensemble

Leçon A

1A Identify the following images, using vocabulary from **Leçon A**.

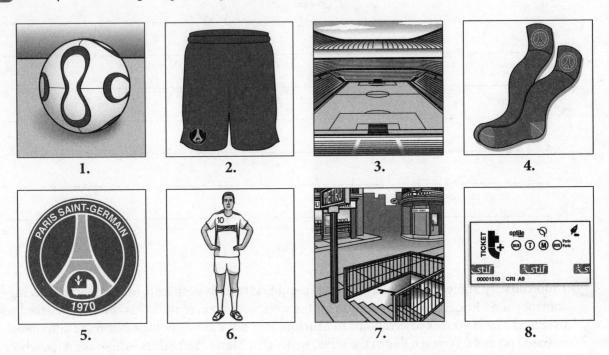

1.

2.

3.

4.

5.

6.

7.

8.

1. _____   5. _____

2. _____   6. _____

3. _____   7. _____

4. _____   8. _____

2A Write each of the following words next to its definition.

un footballeur   un stade   un ballon   un maillot

une équipe   un rendez-vous   un blason   une casquette

1. Il joue pour son équipe. _____

2. C'est là où on regarde le match. _____

3. On joue au football avec ça. _____

4. C'est un vêtement avec un numéro. _____

5. C'est un vêtement pour la tête. _____

6. Ce sont les joueurs de foot. _____

7. C'est une réunion avec des amis. _____

8. C'est l'emblème du club. _____

3B Complete each of the following sentences with the most logical missing word(s).

1. Samedi, nous allons voir un match de foot au _____.

2. Super, mon joueur préféré _____ un but et _____ le match!

3. _____ au stade à 5h00.

4. Mes amis sont les _____, ils achètent une casquette de foot pour moi.

5. Les ados ont besoin d'un _____ pour prendre le métro.

6. Mon cousin est _____ professionnel.

7. Oh non! Mon équipe préférée va _____ le match!

8. L' _____ de Marseille gagne le match!

4B Look at the illustrations below and say where the items are placed in relation to each other. Use two sentences for each image, if possible.

MODÈLE
Luc

Luc est devant la bouche du métro.
La bouche du métro est derrière Luc.

1.

2.

3.

4.

5.

6.

7.

1. _____

2. _____

3. _____

4. _____

5. _____

6. _____

7. _____

5B You are at a sports souvenir shop in France, looking for gifts for your family and friends in the United States. Based on their tastes, say what you get for whom.

1. Papa aime beaucoup les ballons de foot.

_____

2. Maman n'aime pas le foot mais elle aime les écharpes de Paris.

_____

3. Ton meilleur ami n'aime pas le PSG; il aime l'OM et il a besoin de chaussures.

_____

4. Le prof de français aime beaucoup les maillots de Paris.

_____

5. Dashaun n'aime pas le foot, il aime le basket.

_____

6. Karla aime bien les affiches de foot.

_____

7. Darren a besoin d'un blouson, il aime le PSG mais il préfère l'OL, l'équipe de Lyon.

_____

6 Write the definition of each of the following words. Refer to the **Points de départ** in **Leçon A**.

1. la Coupe du monde _____

2. les Bleus _____

3. le grand direct _____

4. l'Olympique lyonnais _____

5. *L'Équipe* _____

6. Bordeaux _____

7. Zinédine Zidane _____

7 Write a short answer in English for each of the following questions.

1. Where are the soccer clubs in France located?

   _____

2. At what age can teens start playing competitive soccer?

   _____

3. Name three types of media that French fans can use to get information about soccer.

   _____

4. Why was 1998 an important year in France?

   _____

5. Name three famous French soccer players. Have you ever heard of them? If so, how?

   _____

   _____

6. Why is Ribéry considered France's hottest soccer player?

   _____

8 Give the last name of each of the famous French soccer players below.

1. Frank _____

2. Thierry _____

3. Éric _____

4. Zinédine _____

5. Michel _____

9 Match each city with the name of its soccer team. Research online to find the names of the teams you do not know.

1. Lyon   A. PSG

2. Marseille   B. FC

3. Bordeaux   C. OM

4. Paris   D. OL

5. Lille   E. FCGB

6. Toulouse   F. LOSC

10A Say what the following people will be doing next week.

   MODÈLE   Nadal/jouer au foot/vendredi.
             Nadal va jouer au foot vendredi.

1. Les ados/aller au cinéma/samedi.

   _____

2. Ma copine/faire du shopping avec moi/lundi.

   _____

3. Mes amis et moi, nous/écouter de la musique/jeudi.

   _____

4. Rachid et toi/manger de la pizza/vendredi.

   _____

5. Sylvie/faire du roller/mercredi.

   _____

6. Je/aider ma mère/dimanche.

   _____

7. Tu/faire les devoirs/mardi.

   _____

11A Answer the following questions in French about your plans for the weekend.

1. Tu vas regarder un match de foot à la télé?

   _____

2. Tes copains vont aller à l'école?

   _____

3. Tes parents et toi, vous allez faire du shopping?

   _____

4. Tu vas jouer au foot avec ton meilleur ami?

   _____

5. Tu vas jouer aux jeux vidéo ce weekend?

   _____

6. Le prof de français va faire tes devoirs?

   _____

7. Tu vas parler français avec un ami?

   _____

8. Tes copains et toi, vous allez écouter de la musique?

   _____

12A Answer the following questions. Follow the **Modèle**.

> **MODÈLE**   Qu'est-ce que tu vas faire aujourd'hui? (nager à la piscine)
> **Je vais nager à la piscine.**

1. Qu'est-ce que vous allez faire? (manger)

_____

2. Qu'est-ce qu'elle va faire? (téléphoner à Antoine)

_____

3. Qu'est-ce qu'ils vont faire? (surfer sur Internet)

_____

4. Qu'est-ce que les filles vont faire dans la classe de gym? (danser)

_____

5. Qu'est-ce que Thierry va faire? (jouer avec l'équipe de foot)

_____

6. Qu'est-ce que tu vas faire mercredi à quatre heures et demie? (sortir avec Amélie)

_____

7. Qu'est-ce que vous allez faire après la classe de français? (aller au cinéma)

_____

8. Qu'est-ce que tu vas faire ce soir à dix heures? (dormir)

_____

13A Negate the following sentences using **ne … pas**.

>   MODÈLE   Mes amis vont regarder un match de foot à la télé.
>   **Mes amis ne vont pas regarder un match de foot à la télé.**

1. Nous allons acheter une casquette.

   _____

2. Mes profs vont faire les devoirs ce weekend.

   _____

3. L'équipe du club de foot va gagner le match samedi.

   _____

4. Mon meilleur ami et moi, nous allons jouer avec le PSG.

   _____

5. Je vais faire un sandwich pour mon prof de maths.

   _____

6. Je vais porter un short avec le blason de l'équipe de foot de Marseille à l'école.

   _____

7. Je vais te présenter une fille sympa.

   _____

8. Tes amis et toi, vous allez regarder un film sur l'ordinateur à minuit.

   _____

14B Say that the following persons will not do what is suggested, but will do something else. Follow the **Modèle**.

> **MODÈLE** Tu vas nager? (surfer)
> **Non, je ne vais pas nager. Je vais surfer.**

1. Vous allez sortir? (dormir)

   _____

2. Elles vont manger? (étudier)

   _____

3. Il va téléphoner? (bloguer)

   _____

4. Tu vas danser? (jouer au foot)

   _____

5. Vous allez nager? (plonger)

   _____

6. Maman va faire une pizza? (faire une quiche)

   _____

7. Tes amis vont jouer au stade? (faire du roller au parc)

   _____

8. La meilleure élève de la classe va avoir 8/20? (avoir 18/20)

   _____

15A Change the following statements into questions using **n'est-ce pas**.

1. Vous aimez l'équipe du PSG.

   _____

2. Mes amis et moi, nous allons au match de basket ce weekend.

   _____

3. Caroline et Myriam n'écoutent pas la musique alternative.

   _____

4. Khaled aime bien sa copine.

   _____

5. Il pleut.

   _____

6. Karim et toi, vous achetez des chaussures de foot.

   _____

7. Ta copine Anaïs ne va pas au stade avec toi.

   _____

8. On mange une pizza ce soir.

   _____

16A Use inversion to turn the following statements into questions.

> MODÈLE   Nous portons un blason de l'équipe sur notre blouson.
> **Portons-nous un blason de l'équipe sur notre blouson?**

1. Ils vont voir le match Marseille-OL.

_____

2. Anne et Awa, elles se retrouvent devant la bouche du métro.

_____

3. Tu gagnes le match!

_____

4. Vous portez des chaussettes et des chaussures avec le blason de l'équipe.

_____

5. Il fait mauvais aujourd'hui.

_____

6. Le maillot coûte 25€.

_____

7. Tu as besoin de jouer au basket avec nous.

_____

8. Les profs de l'école, ils aiment l'équipe de l'OM.

_____

9. Vous allez au concert samedi soir.

_____

10. Lucas est passionnant.

_____

11. Nous écoutons le professeur d'arts plastiques.

_____

12. Ils regardent des DVD à la médiathèque.

_____

17B For each of the following answers, ask an appropriate question using **comment**, **pourquoi**, **quand**, **à quelle heure**, **où**, or **que**. Use inversion.

> **Modèle** Je vais soutenir Marseille parce qu'ils sont les meilleurs.
> **Pourquoi vas-tu soutenir Marseille?**

1. Elle va dans ce restaurant parce qu'elle a rendez-vous avec Michel.

   _____

2. La classe de gym va aller au stade.

   _____

3. Je vais porter une nouvelle écharpe à l'école jeudi.

   _____

4. Nous allons plonger à la piscine.

   _____

5. Les amis vont faire les devoirs à la médiathèque.

   _____

6. J'écoute le CD de Air.

   _____

7. On va manger à la pizzeria.

   _____

8. Nous sommes à la maison parce qu'il ne fait pas beau.

   _____

Leçon B

18A Circle the word that does not fit with the others in the group.

1. eau minérale, croque-monsieur, orangina

2. jus d'orange, coca, salade

3. glace, chocolat chaud, café au lait

4. orangina, coca, café

5. croque-monsieur, steak, quiche, eau minérale

6. steak, jambon, pâté, fromage

7. crêpe au chocolat, glace, omelette

8. café, eau minérale, frites

19A Fill in the blanks in the conversations below.

1. - Bonjour mademoiselle, _____?

   - Je voudrais une quiche, s'il vous plaît.

2. - _____?

   - D'accord, 13€, monsieur.

3. - _____?

   - Un café, s'il vous plaît.

4. - Et comme dessert?

   - _____ une crêpe.

   - Moi, _____ une glace à la vanille.

5. - _____?

   - Un coca pour moi et une limonade pour ma copine, s'il vous plaît.

Nom: _____   Date: _____

20A Fill in the empty menu below by putting the following vocabulary words in the correct categories.

jambon   steak-frites   salade   orange   crêpe

glace à la vanille   café   eau minérale   chocolat   pâté

coca   hamburger   sandwich au fromage   omelette au fromage

Chez Léonard

Entrées   *Desserts*

_____   _____

_____   _____

_____   _____

_____   _____

Plats du jour   *Boissons*

_____   _____

_____   _____

_____   _____

_____   _____

21A Say whether the people are hungry or thirsty (or both), according to the illustrations.

1. M. Perrin

2. nous

3. les amis

4. je

5. Mlle Duval

6. M. et Mme Compas

7. Zoé

1. _____

2. _____

3. _____

4. _____

5. _____

6. _____

7. _____

22B You are cooking for your family tonight, and you decide to be fancy and create a menu for them. Fill in the menu template below, making sure to include at least two different options in each category.

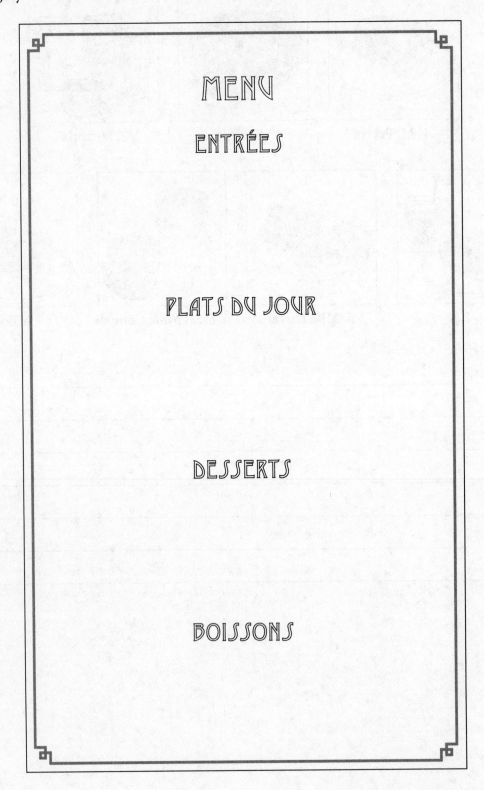

MENU

ENTRÉES

PLATS DU JOUR

DESSERTS

BOISSONS

23B Say what the following people at the **Café français** might order, based on their situations. Follow the **Modèle**.

> **MODÈLE**   M. Gaston ate too much for breakfast and is not hungry.
> **Je voudrais une salade et une eau minérale, s'il vous plaît.**

1. Janine has been working in the yard in the hot sun all afternoon.

   _____

2. You and your two friends each only have 20 euros on you.

   _____

3. You are very, very thirsty.

   _____

4. Your little brother, Nicolas, hates ham but loves cheese.

   _____

5. You and your friend just finished playing soccer for two hours.

   _____

6. Your mom is in the mood for her favorite food.

   _____

7. Marylyn is lactose intolerant and diabetic.

   _____

24A Do the following math problems. Write the answer in both numbers and letters.

MODÈLE   20 + 52 = **72, soixante-douze**

1. 97 + 225 = _____

2. 183 + 290 = _____

3. 67 – 23 = _____

4. 589 – 234 = _____

5. 98 – 89 = _____

6. 16 + 43 = _____

7. 678 + 98 = _____

8. 132 + 111 = _____

9. 376 + 26 = _____

10. 123 – 90 = _____

25 Go online and search French fast-food restaurants such as **Quick, Flunch, Paul, DéliFrance, la Brioche Dorée, le Relais H, la Viennoisière**, and **Pizza del Arte**. Choose one restaurant and browse its menu. In the space below, write the name of the restaurant you chose, as well as a few sentences about which items on the menu you would order and which you would not order. Make sure to explain your choices.

_____

_____

_____

_____

_____

_____

_____

_____

26 Write the names of the French café(s) frequented by each of the authors below, according to the **Points de départ** in **Leçon B**.

Écrivain	Café(s) de fréquentation
1. Ernest Hemingway	
2. Voltaire	
3. F. Scott Fitzgerald	
4. Jean-Paul Sartre	
5. Simone de Beauvoir	

27 Go online and find a restaurant in Paris that is famous for a particular dish. Use the information you find to fill out the chart below.

Restaurant name	
Address	
Location (In which area of the city is it located? What famous buildings are nearby?)	**Genre** (What type of food is served?)
Specialty (What dish is it known for?)	**Price range** (How much do the most and least expensive items cost?)
Examples of main dishes	**Examples of desserts**

28A Fill in the correct form of the verb **prendre** in each of the following sentences.

1. Je _____ un sandwich.

2. Elle _____ un ticket.

3. Il _____ un livre.

4. Tu _____ un coca.

5. Nous _____ des stylos.

6. Ils _____ des ballons de foot.

7. Vous _____ un rendez-vous.

8. Elles _____ une écharpe.

9. On _____ un café?

29B Answer the following questions in French.

1. Qu'est-ce que tu prends au café?

_____

2. Qu'est-ce que les élèves prennent à la cafétéria aujourd'hui?

_____

3. Qu'est-ce que je prends pour le cours de français?

_____

4. Qu'est-ce que ton camarade de classe prend pour le cours de musique?

_____

5. Qu'est-ce que nous prenons pour écouter de la musique?

_____

6. Qu'est-ce que tu prends quand tu as faim?

_____

7. Qu'est-ce que vous prenez quand vous avez soif?

_____

8. Qu'est-ce que le prof de gym prend après les cours?

_____

Nom: _____ Date: _____

30B Say what the following people are having, according to the illustrations.

MODÈLE   Les filles prennent une eau minérale,
                                               un jus d'orange, et une limonade.

les filles

1. Louis

2. tu

3. je

4. vous

5. la famille Marteau

6. Jean

7. toi et moi, nous

8. on

1. _____

2. _____

3. _____

4. _____

5. _____

6. _____

7. _____

8. _____

31B Say what the following people take with them, according to their situations. Choose from the list of items below.

un stylo	un DVD	une eau minérale	un ballon de foot	l'addition
un sac à dos	une carte	un portable	un ordinateur	

1. Je vais au parc avec mes amis.

_____

2. M. Rétro voyage.

_____

3. Patrick et Damien vont surfer sur Internet.

_____

4. On téléphone à Julian et Talia.

_____

5. Les profs du lycée montrent le film *Amélie* aux classes de français.

_____

6. Papa et maman invitent la famille au restaurant.

_____

7. Tu fais du footing.

_____

8. Nous allons faire les devoirs.

_____

9. Pierre va à l'école.

_____

Nom: _____ Date: _____

32B Describe a perfect evening in Paris at a restaurant of your choice. Mention with whom you go, what time you meet, what each person eats and drinks, how much the bill is, and what time it is at the end of the evening. Write a minimum of eight sentences, use the verbs **prendre** and **avoir**, mention at least ten foods and drinks, and use at least three negative sentences.

_____

_____

_____

_____

_____

_____

_____

_____

_____

_____

_____

_____

_____

_____

_____

_____

Leçon C

33A Name an American or French movie you know that fits each of the following categories.

1. un drame _____

2. un film d'horreur _____

3. un thriller _____

4. un documentaire _____

5. un film musical _____

6. une comédie romantique _____

34B Say what kind of movie the following people are most likely going to watch, based on the information given. Choose from the list of genres below.

>   **MODÈLE**   C'est un film avec Jim Carey.
>   **une comédie**

un film d'horreur	un documentaire	un thriller
une comédie romantique	une comédie	un drame
un film d'aventures	un film de science-fiction	

1. On va rire. _____

2. Je vais pleurer. _____

3. Marc aime l'aventure. _____

4. Il y a des extra-terrestres (*aliens*). _____

5. Il y a du suspense. _____

6. C'est un film de Stephen King. C'est horrible! _____

35A Tell your friend how he or she will react when he or she sees the following movies. Use **aller** + **rire**, **pleurer**, **aimer**, or **ne ... pas aimer**.

>   MODÈLE   *Le Fabuleux destin d'Amélie Poulain* est une comédie.
>   **Tu vas rire.**

1. *Da Vinci Code* est un thriller. _____

2. *Pas sur la Bouche* est une comédie musicale. _____

3. *Coco avant Chanel* est un drame. _____

4. *Ensemble,* c'est une comédie. _____

5. *Hors de Prix* est une comédie. _____

36A The movie *Les petits mouchoirs* starts at 19h30 at the Pathé cinema. Say who is early, who is on time, and who is late.

>   MODÈLE   19h25 (moi)
>   **Je suis en avance.**

1. 19h40 (Cédric) _____

2. 19h25 (Fatima) _____

3. 19h20 (Alex et Diana) _____

4. 19h15 (vous) _____

5. 19h35 (François et Kevin) _____

6. 19h30 (nous) _____

37B You and your friend Joachim have made plans to go to the movies tonight. Write him a text message with three movie choices. Include the name of each movie, the genre, the main actor or actress, where the movie plays, and what time it starts.

> MODÈLE   Salut! Ce soir il y a *Amélie,* une comédie romantique avec
>   Audrey Tatou au Pathé à 20h30. Il y a aussi ....

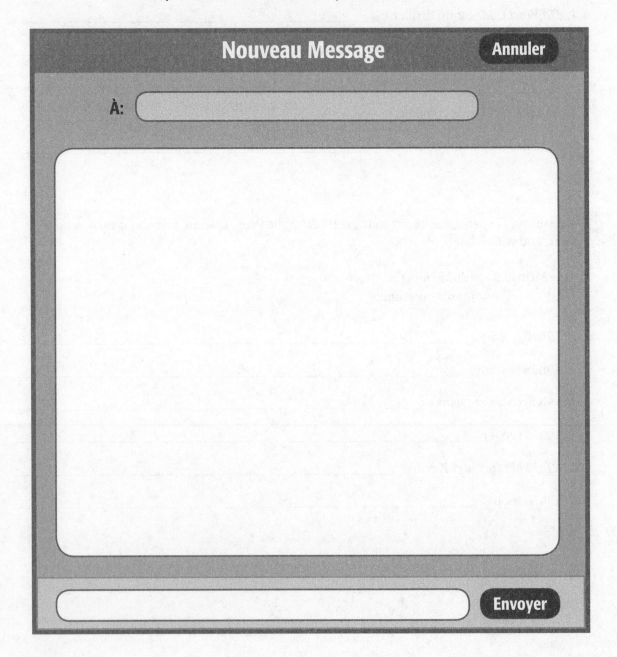

Nom: _____ Date: _____

38B Read each of the following reviews and say whether you will like the movie or not, based on what the critics say. Use the verb **aimer** and **un peu**, **beaucoup**, or **pas du tout**.

MODÈLE   *Les petits mouchoirs*: **On va aimer beaucoup.**

Les petits mouchoirs
Guillaume Canet

Les petits mouchoirs de Guillaume Canet avec Marion: vous allez rire, vous allez pleurer, et vous allez adorer les personnages.

Black Swan
Darren Aronofsky

Black Swan de Darren Aronofsky: drame avec Natalie Portman et Vincent Cassel: vous allez avoir peur, être émus…

Benda Bilili
Renaud Barret

Benda Bilili, documentaire de Renaud Barret: à Bamako, des handicapés composent et chantent des chansons: vous allez adorer.

Les amours imaginaires
Xavier Dolan

Les amours imaginaires, drame canadien de Xavier Dolan. Vous allez être enchanté par l'amour.

Des hommes et des dieux
Xavier Beauvois

Des hommes et des dieux, drame de Xavier Beauvois avec Lambert Wilson et Michael Lonsdale. Attention! Vous allez voir un chef-d'œuvre.

True Grit
Joël et Ethan Cohen

True Grit de Joël et Ethan Cohen, western avec Jeff Bridges et Matt Damon. On préfère *Burn After Reading* ou *Fargo*.

La ligne droite
Régis Wargnier

La ligne droite, drame de Régis Wargnier avec Rachida Brakni et Cyril Descours. Les bons sentiments ne font pas toujours un bon film. Hélas!

Biutiful
Alejandro Gonzalez Iñarritu

Biutiful, drame hispano-mexicain de Alejandro Gonzalez Iñarritu avec Javier Bardem. Vous aimez Javier Bardem, alors vous allez aimer le film.

---

1. *Black Swan*: _____

2. *Benda Bilili*: _____

3. *Les amours imaginaires*: _____

4. *Des hommes et des dieux*: _____

5. *True Grit*: _____

6. *La ligne droite*: _____

7. *Biutiful*: _____

39B You want to invite some new friends to go to the movies with you this weekend. Prepare six questions to ask them about their likes and dislikes regarding movies and the cinema.

1. _____

2. _____

3. _____

4. _____

5. _____

6. _____

40 Write what the following numbers refer to, according to the **Points de départ** in **Leçon C**.

1. 4,400

_____

2. 85 million

_____

3. 200 million

_____

4. 220

_____

5. 2004

_____

6. 2009

_____

7. 20 million

_____

41 Use the Internet to find a current French movie that fits each category.

🔍 **Search words: allociné**

1. un film d'aventure

_____

2. un film d'horreur

_____

3. un film de science-fiction

_____

4. une comédie musicale

_____

5. une comédie

_____

6. un drame

_____

42 Answer the following questions based on movie reviews you find on the website **Allociné.fr**.

1. Un billet de cinéma coûte _____.

2. Ce soir il y a le film _____ au cinéma.

3. _____ personnes aiment le film.

4. _____ est le film numéro 1 au box office.

5. _____ est un bon cinéma.

6. _____ est un bon film.

7. _____ est un mauvais film.

43A For each statement below, ask a question using one of the interrogative adjectives **quel**, **quelle**, **quels**, and **quelles**.

        MODÈLE   Les Martin aiment un film.
                     Quel film?

1. Nous avons une amie française. _____

2. La classe de maths va voir un match de foot. _____

3. Je vais au stade avec des amis. _____

4. J'aime un genre de film. _____

5. Tu as des CD? _____

6. On regarde une comédie? _____

7. Mes amis parlent avec les filles. _____

44A Complete the following questions with the correct interrogative adjective.

        MODÈLE   Tu vas à **quel** lycée?

1. Tu es en _____ classe?

2. Tu aimes _____ cours?

3. Tu as _____ profs?

4. Tu fais _____ devoirs?

5. Tu préfères _____ matières?

6. Tu préfères _____ sports?

7. Tu as _____ prof de français?

45B You are on the phone with your friend Paolo in Mexico, but you have a bad connection and cannot hear him very well. Ask questions about what you did not hear clearly (in italics). Use the interrogative adjectives **quel**, **quelle**, **quels**, and **quelles**.

> **MODÈLE**   Je sors *samedi*.
> **Tu sors quel jour?**

1. Je vais à la séance *de minuit*.

   _____

2. Je vois *une comédie*.

   _____

3. Je n'aime pas les acteurs *du film*.

   _____

4. Je préfère l'actrice *Vanessa Paradis*.

   _____

5. Mes amis adorent les films *de science-fiction*.

   _____

6. Nous avons rendez-vous au cinéma *Cine Paraíso*.

   _____

46A Complete each sentence with the correct form of the verb **voir**.

1. Là, vous _____ le parc.

2. Ici, on _____ le lycée.

3. Là, nous _____ le stade.

4. Là, elles _____ la piscine municipale.

5. Ici, il _____ la médiathèque.

6. Là, je _____ le centre commercial.

7. Ici, tu _____ le collège.

47B Create complete sentences using the following elements.

> **MODÈLE**   Richard/ne ... pas voir/un thriller/le weekend
> **Richard ne voit pas un thriller le weekend.**

1. Marie-Paule et Sébastien/voir/un film d'horreur

_____

2. tu/ne ... pas voir/le DVD/derrière la télé

_____

3. nous/voir/un bon film/avec les copains

_____

4. ma famille et moi/voir/un ami/au restaurant

_____

5. je/ne ... pas voir/le prof de biologie/à l'école

_____

6. voir/vous/les animaux/devant le bus

_____

7. Béatrice et Nathalie/voir/un film musical/au Pathé

_____

8. tu/ne ... pas voir/mon sac à dos

_____

48B Look at the illustrations below and write what each person sees.

MODÈLE
tu

Tu vois un café.

1. M. Albert

2. M. et Mme Anvers

3. Dominique

4. je

5. tu

6. vous

7. on

8. Chanel et Keisha

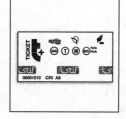

9. les copains et moi

10. Hélène

1. _____

2. _____

3. _____

4. _____

5. _____

6. _____

7. _____

8. _____

9. _____

10. _____

Unité 5: Les gens que je connais

Leçon A

1A Write the missing words in the spaces below to create logical pairs.

le beau-père   le fils   le mari   la grand-mère

la tante   la sœur   le cousin   la belle-sœur

      MODÈLE   le grand-père et **la grand-mère**

1. l'oncle et _____

2. la cousine et _____

3. la fille et _____

4. le beau-frère et _____

5. le frère et _____

6. la belle-mère et _____

7. la femme et _____

2A In each group below, circle the word that does not belong.

      MODÈLE   le père, la mère, la fille, (le cousin)

1. l'oncle, la sœur, la tante, la cousine

2. le frère, la cousine, la sœur, le père

3. la grand-mère, le beau-frère, la mère, la fille

4. la belle-sœur, le beau-frère, la belle-mère, le frère

5. les enfants, la demi-sœur, le demi-frère, les parents

6. le cousin, la cousine, le grand-père, le frère

7. la grand-mère, le demi-frère, le cousin, le beau-frère

3B Write the name of the family member that fits each of the descriptions below.

MODÈLE   le frère du père: **l'oncle**

1. la sœur de la mère: _____

2. le fils de la tante: _____

3. le père de la mère: _____

4. le mari de la sœur: _____

5. la femme du grand-père: _____

6. le fils de la belle-mère: _____

7. la femme du frère: _____

4A Refer to **Activité 1** on page 222 of the textbook to indicate whether the following statements are true (**vrai**) or false (**faux**).

	vrai	faux
1. Alexis a les cheveux blonds.		
2. Simon a les yeux bleus.		
3. Leïla ressemble à sa mère.		
4. Nayah a les cheveux noirs.		
5. Monsieur Russac a les yeux bleus.		
6. Le fils de Mme Djellouli ressemble à son père.		
7. Mme Diouf a les cheveux noirs.		
8. Le frère de Simon a les yeux bleus.		

5A Answer the following questions in French.

      MODÈLE   Qui a les cheveux blonds?
               Ma cousine Catherine a les cheveux blonds.

1. Qui a les cheveux bruns?

_____

2. Qui a les yeux noirs?

_____

3. Qui a les cheveux roux?

_____

4. Qui a les yeux marron?

_____

5. Qui a les yeux verts?

_____

6. Qui a les cheveux gris?

_____

7. Qui a les yeux bleus?

_____

8. Qui a les yeux gris?

_____

6B Read the following statements and use them to fill in the genealogical tree with the names below.

Bruno	Appoline	Malika	Guillaume	François
Amélie	Augustin	Lilou	Paul	Noah

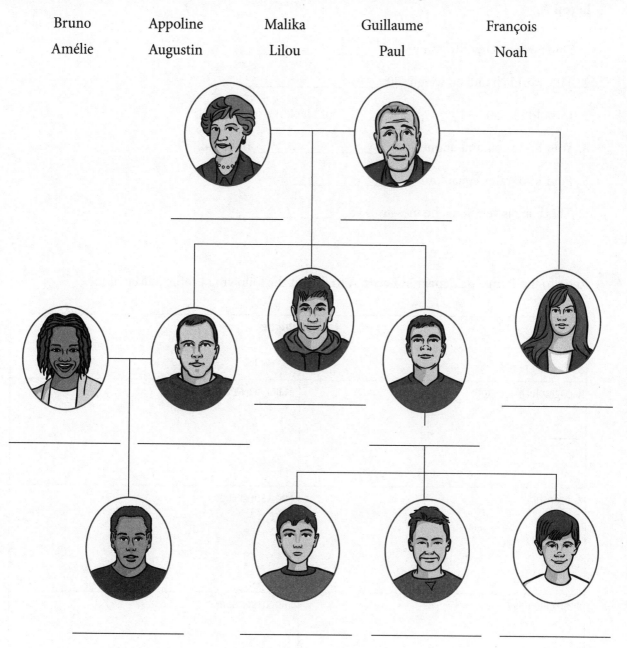

1. Malika et Guillaume ont un seul fils.
2. Nicolas a trois enfants.
3. Amélie est la belle-fille d'Appoline.
4. Malika est la belle-sœur de François.
5. Augustin est le cousin de Lilou.
6. Noah et Paul sont les frères de Lilou.
7. Appoline est la grand-mère d'Augustin.
8. Bruno est le grand-père de Paul.

7 Complete the following sentences with the correct metric unit. Refer to the **Points de départ** in **Leçon A**.

1. Don't worry, I'm only going 90 _____.

2. This world champion weighs 80 _____!

3. I would like 500 _____ of blackberries, please!

4. Your body contains about five _____ of blood.

5. Four kilograms equal four _____.

6. This baby is very long; he measures 56 _____.

8 Refer to the **Points de départ** in **Leçon A** to fill out the following profile of Martinique.

La Martinique Nickname:	
Geographical location:	Major active volcano:
Citizenship:	Food specialties:
Ethnic heritage:	Languages spoken:

9A Write **mon**, **ma**, or **mes** before each noun below.

1. _____ cousine

2. _____ père

3. _____ belle-sœur

4. _____ amis

5. _____ cousines

6. _____ oncle

7. _____ grand-père

8. _____ sœur

10A Fill in the blanks with the appropriate possessive adjectives.

1. Je n'ai pas _____ feuille de papier!

2. Papa, comment s'appelle _____ belle-sœur?

3. Malik regarde _____ émission préférée.

4. Nous faisons _____ devoirs avant le dîner.

5. Tu aimes bien _____ sœur?

6. Les garçons aiment sortir avec _____ amis.

7. J'aime aller au cinéma avec _____ copain.

8. Vous allez voir _____ grands-parents?

11A Say what each person has, according to the illustrations. Use possessive adjectives.

MODÈLE  **Gérard a son livre.**

Gérard

1. Naya

2. nous

3. Le père et la mère

4. Pierre et Alain

5. Karim et Fatima

6. je

7. vous

8. tu

1. _____

2. _____

3. _____

4. _____

5. _____

6. _____

7. _____

8. _____

Nom: _____ Date: _____

12B Answer the following questions with a complete sentence using the correct possessive adjective.

        Modèle   La fille de ta tante, c'est qui?
                          C'est ma cousine.

1. L'oncle de ta sœur, c'est qui?

    _____

2. Les parents de tes parents, ce sont qui?

    _____

3. Le père du père de Xavier, c'est qui?

    _____

4. La mère d'Alex, c'est qui?

    _____

5. Le fils de M. et Mme Jaquin, c'est qui?

    _____

6. La femme de votre père, c'est qui?

    _____

7. Les enfants de votre oncle et votre tante, ce sont qui?

    _____

8. Les grands-parents de ton meilleur ami, ce sont qui?

    _____

13A Make the following sentences negative.

MODÈLE   Nous avons un petit chat.
              Nous n'avons pas de petit chat.

1. Ma sœur a des cousins.

_____

2. Leila et Gérald ont une tante algérienne.

_____

3. La prof de biologie a des enfants.

_____

4. Le père et la mère de Maxime ont un poisson rouge.

_____

5. Vous avez une carte de la France dans la salle de classe de maths.

_____

6. Tu as une belle trousse.

_____

7. On a un crayon et des stylos.

_____

8. Sylvie a un grand-père et une grand-mère français.

_____

Nom: _____ Date: _____

14B Answer the following questions in the negative.

      MODÈLE   Tu as un cheval à la maison?
                      Non, je n'ai pas de cheval à la maison.

1. Tu manges un poisson rouge à la cantine?

   _____

2. Toi et tes amis, vous avez des livres de sciences à la teuf?

   _____

3. Ton oncle a des devoirs de français?

   _____

4. Tes camarades de classe ont un lecteur de DVD dans leurs sacs à dos?

   _____

5. Ta petite sœur et toi, vous avez des cousins canadiens?

   _____

6. Ta famille a des amis algériens?

   _____

7. Ton meilleur ami et toi, vous avez un ordinateur portable dans votre sac à dos?

   _____

8. Tes amis mangent un croque-monsieur pour le petit déjeuner?

   _____

15B Write a paragraph about your family. Say how many people are in your family and how they are all related. Also describe each member physically and explain who looks like whom. Write a minimum of eight sentences.

_____

_____

_____

_____

_____

_____

_____

_____

_____

_____

_____

_____

_____

_____

_____

_____

_____

_____

Leçon B

16A Match the illustrations with the appropriate month below.

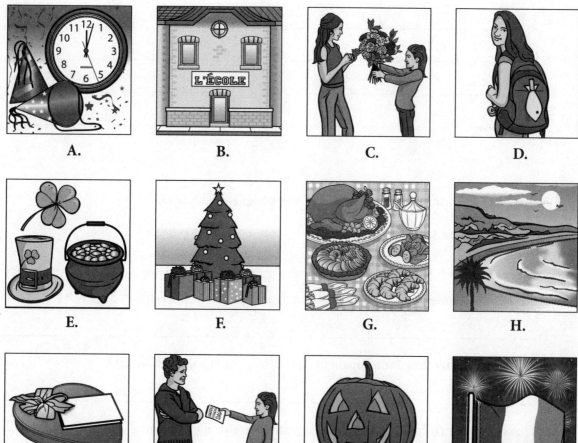

A.   B.   C.   D.

E.   F.   G.   H.

I.   J.   K.   L.

1. janvier _____

2. février _____

3. mars _____

4. avril _____

5. mai _____

6. juin _____

7. juillet _____

8. août _____

9. septembre _____

10. octobre _____

11. novembre _____

12. décembre _____

17A Write the name of the month that corresponds to each of the numbers below.

1. 07 _____   7. 01 _____

2. 02 _____   8. 08 _____

3. 11 _____   9. 10 _____

4. 04 _____   10. 05 _____

5. 09 _____   11. 03 _____

6. 12 _____   12. 06 _____

18B Answer the following questions in French. Use complete sentences.

1. En quel mois est ton anniversaire?

_____

2. Tu préfères manger un gâteau ou avoir un cadeau pour ton anniversaire?

_____

3. Qu'est-ce que tu offres à ton copain ou ta copine pour la Saint-Valentin?

_____

4. Qu'est-ce que tu offres à ta mère pour son anniversaire et en quel mois?

_____

5. Qu'est-ce que tu offres à ton meilleur ami ou ta meilleure amie pour son anniversaire et en quel mois?

_____

6. Tu offres un cadeau ou une carte cadeau à tes amis?

_____

7. En quel mois est l'anniversaire de ton père?

_____

8. Qu'est-ce que tu offres à ton grand-père et ta grand-mère pour Noël?

_____

19A Abdou and Marie-Alix are twins. They are exactly alike in character. Write the adjectives below in the correct columns to describe each twin. You may use some words twice.

| bavarde | généreuse | sympa | paresseux | égoïste |
| bavard | timide | paresseuse | généreux | |

_____   _____

_____   _____

_____   _____

_____   _____

_____   _____

_____   _____

_____   _____

20A Complete each of the following sentences with the adjective that means the opposite of the one used at the beginning of the sentence.

MODÈLE   Lisa est petite, elle n'est pas **grande**.

1. Homer est bête, il n'est pas _____.

2. Maggie est égoïste, elle n'est pas _____.

3. Bart est méchant, il n'est pas _____.

4. Lisa est intelligente, elle n'est pas _____.

5. Marge n'est pas timide, elle est _____.

6. Homer n'est pas diligent, il est _____.

7. Maggie n'est pas sympa, elle est _____.

8. Bart n'est pas timide, il est _____.

9. Homer n'est pas égoïste, il est _____.

10. Lisa n'est pas paresseuse, elle est _____.

21 Based on their nationalities, name one holiday that each of the following people most likely celebrates, and how they might celebrate it. Refer to the **Points de départ** in **Leçon B**.

Jean-Charles, français:

_____

_____

_____

Chrystèle, martiniquaise:

_____

_____

_____

Sid, algérien:

_____

_____

_____

22 Your parents' 20th wedding anniversary is coming up. Go online and visit the **FNAC** website. In the space below, write down ten things you want to purchase from **la FNAC** to give your parents an unforgettable anniversary.

1. _____   6. _____

2. _____   7. _____

3. _____   8. _____

4. _____   9. _____

5. _____   10. _____

Nom: _____ Date: _____

23A Fill in the blanks with the correct form of the verb in parentheses.

1. Les filles _____. (rougir)

2. On _____ le gâteau. (finir)

3. Vous _____ vos devoirs. (finir)

4. Tu _____ en juillet. (maigrir)

5. Ma mère, elle _____ à l'anniversaire de son frère. (réfléchir)

6. Les enfants _____! (grandir)

7. Je _____ à la maison de ma grand-mère. (grossir)

8. Nous _____ au contrôle de français. (réussir)

24B Fill in the blanks with the correct form of the appropriate verb from the list below

| finir | réussir | grossir | choisir |
| rougir | réfléchir | maigrir | grandir |

Bonjour Aïcha,

Je (1) _____ un voyage incroyable en Guyane française! Ma famille et

moi, nous (2) _____ une petite ville près de Cayenne. Nous faisons

beaucoup de sport alors mon père et moi, nous (3) _____. Mais, ma mère

(4) _____, alors elle n'est pas contente. Les Guyanais sont très sympa!

Nos guides (5) _____ à marcher pendant des heures dans la forêt

amazonienne. Nous nous sommes fatigués! Je (6) _____ parce que mon

guide est jeune et beau, et je (7) _____ à bien marcher, pas comme

une touriste! Les femmes guyanaises (8) _____ beaucoup à la culture

guyanaise et la culture française. Elles travaillent dur et (9) _____ à

apprendre l'histoire aux enfants, ils (10) _____ avec. J'apprends un peu le

créole, mais, ne me donne pas un contrôle, je ne (11) _____ pas! À notre

retour, maman et moi, nous allons préparer la cuisine guyanaise. Tu manges beaucoup et tu

(12) _____ !

25B Use an -**ir** verb to say what logically happens next in each of the following situations.

      MODÈLE   Isabelle mange beaucoup de gâteau.
                 Elle grossit.

1. Nous travaillons beaucoup pour notre contrôle de français aujourd'hui.

   _____

2. Je suis timide devant la classe.

   _____

3. L'équipe de foot marque un but.

   _____

4. Les filles étudient pour demain.

   _____

5. Tu veux voir un film d'horreur ou une comédie?

   _____

6. Le président est très diligent.

   _____

7. Mon petit cousin a maintenant quatorze ans.

   _____

8. Vous ne mangez pas beaucoup.

   _____

9. Mon grand-père et moi mangeons beaucoup de hamburgers et de frites.

   _____

10. Chut! J'étudie!

   _____

26A Using both ways you have learned to say the date, write two complete sentences for each of the dates below.

MODÈLE   12/03
C'est le douze mars.
Nous sommes le douze mars.

1. 04/05

_____

_____

2. 11/12

_____

_____

3. 19/01

_____

_____

4. 07/08

_____

_____

5. 08/07

_____

_____

6. 21/02

_____

_____

27A Write a complete sentence stating the date of each of the following events.

      MODÈLE   Noël
                   C'est le 25 décembre.

1. le Nouvel An

_____

2. la Saint Valentin

_____

3. la fête nationale aux États-Unis

_____

4. la fête nationale en France

_____

5. la fête des pères

_____

6. Halloween

_____

7. la fête de la St Patrick

_____

8. ton anniversaire

_____

28A Fill in the blanks with the correct form of the appropriate **avoir** expression.

avoir besoin (de)   avoir… ans   avoir faim   avoir soif

1. Nayah a cours d'éducation physique. Elle _____ chaussures de sports.

2. Quel âge a ton meilleur ami? Il _____.

3. Tu voudrais une quiche et un croque monsieur. Tu _____!

4. Vous jouez au foot et il fait beau. Vous _____?

5. Quel âge as-tu? _____.

6. Les Français _____ un ticket de métro pour prendre le métro.

7. Patricia _____; elle finit la bouteille d'eau!

8. Moi, j' _____ deux cahiers pour mon cours de sciences.

29B Use the information given to answer the questions below. Make sure to answer in complete sentences.

1. Gabrielle a 16 ans. Elle a deux ans de différence avec sa grande sœur. Quel âge a la sœur de Gabrielle?

   _____

2. Roman a 36 ans quand il a un bébé. Maintenant, son fils a six ans. Quel âge a Roman aujourd'hui?

   _____

3. Valentine et Assia sont meilleures amies. Elles ont le même âge. Leur meilleur ami, Bertrand, a 15 ans. Il a le même âge que Nasser. Nasser a un an de différence avec sa petite sœur Assia. Quel âge ont Valentine et Assia?

   _____

4. Les enfants de Paul ont dix ans de plus que la fille de son cousin, qui a trois ans. Quel âge ont les enfants de Paul?

   _____

30A Say what each person offers Jérémy for his birthday, based on the illustrations below.

MODÈLE **Patrick offre un livre.**

Patrick

1. M. et Mme Lafont

2. vous

3. son grand-père

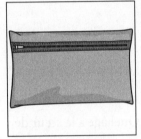

4. sa cousine

5. moi

6. toi

7. ses sœurs

1. _____

2. _____

3. _____

4. _____

5. _____

6. _____

7. _____

Leçon C

31A Write the feminine form of the masculine professions, and the masculine form of the feminine professions.

1. un dentiste

   _____

2. une cuisinière

   _____

3. un homme d'affaires

   _____

4. une chanteuse

   _____

5. un médecin

   _____

6. un acteur

   _____

7. une athlète

   _____

8. un ingénieur

   _____

9. un graphiste

   _____

10. un testeur de jeux vidéo

   _____

32B Name the professions of the following people, according to the illustrations.

MODÈLE 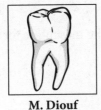   M. Diouf est dentiste.

M. Diouf

1. Mme Larcène

2. M. et Mme Gaillard

3. Mme Zarif

4. M. Traore

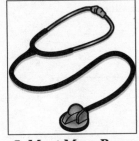
5. M. et Mme Boyer

6. Mme Rouvière

7. Mme Yayaoui

8. M. N'gong

1. _____

2. _____

3. _____

4. _____

5. _____

6. _____

7. _____

8. _____

33A Write the corresponding questions for each of the answers below.

1. _____

   Je suis ingénieur.

2. _____

   Nous venons de Mauritanie.

3. _____

   Non, je ne viens pas de France. Je viens du Québec.

4. _____

   Oui, les nouveaux élèves sont français.

5. _____

   Nous sommes graphistes.

6. _____

   Salut Ahmed, je suis avocat.

7. _____

   Oui, ma mère est algérienne.

8. _____

   Non, mes cousins ne viennent pas des États-Unis. Ils viennent du Canada.

Nom: _____ Date: _____

34B Use the information given below to introduce each person or group of people. Make sure to use the appropriate form of the profession, based on gender and number.

> **MODÈLE** Isabelle, avocat, New York
> **Je vous présente Isabelle. Elle est avocate, et elle vient de New York.**

1. Malika, dentiste, Paris

_____

2. Myriam, chanteur, Martinique.

_____

3. Jean-Luc, athlète, Haïti

_____

4. Sophie et Gisèle, médecin, Amsterdam

_____

5. John et Louie, acteur, Chicago

_____

6. Noémie, cuisinier, Djibouti

_____

7. Saniyya, metteur en scène, Israël

_____

35 Label the following French-speaking countries on the world map below. Refer to the **Points de départ** in **Leçon C**.

le Sénégal   la Côte d'Ivoire   le Cameroun   le Bénin

le Togo   le Gabon   le Burkina Faso   le Mali

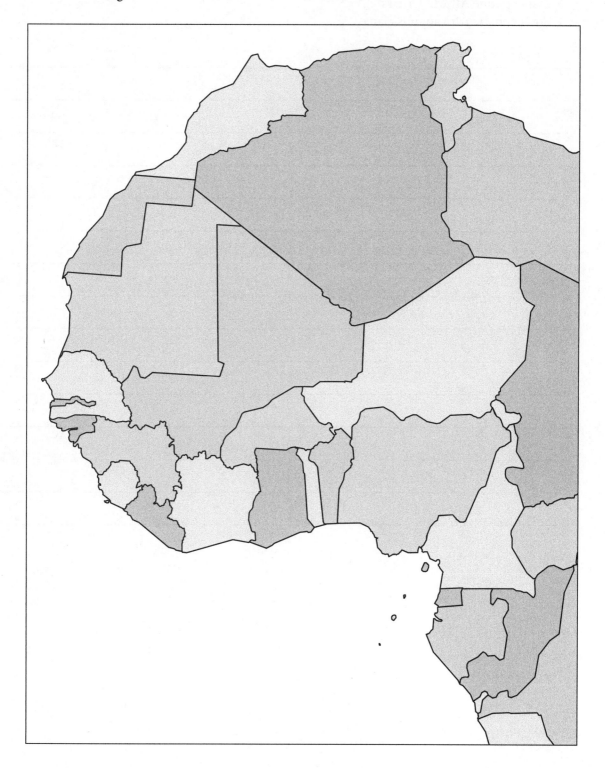

36 Write a profile of Africa's economy, based on the information in the **Points de départ** in
Leçon C. In your profile, make sure to cover the following topics:

- agricultural production
- energy resources
- mineral resources
- Francophone African writers
- Francophone African musicians

_____

_____

_____

_____

_____

_____

_____

_____

_____

_____

_____

_____

_____

_____

37A Complete the following sentences using **c'est**, **ce sont**, **il/elle est** or **ils/elles sont**.

MODÈLE   **C'est** un footballeur.

1. _____ médecin.

2. _____ architecte.

3. _____ une étudiante française.

4. _____ un homme d'affaires.

5. _____ avocats en Italie.

6. _____ cuisinière au lycée Pascal.

7. _____ une athlète diligente!

8. _____ testeur de jeux vidéo.

9. _____ des hommes d'affaire intelligents.

10. _____ un grand médecin!

11. _____ chanteuses.

12. _____ des agents de police algériens.

38B Use **c'est** or **ce sont** to state the professions of the following people, and then use **il/elle est** or **ils/elles sont** to state their nationalities.

MODÈLE   graphistes/Québec
Ce sont des graphistes. Ils sont québécois.

1. testeurs de jeux vidéo/France

_____

2. athlète/Canada

_____

3. avocates/États-Unis

_____

4. ingénieurs/France

_____

5. agent de police/Cameroun

_____

6. cuisiniers/Bénin

_____

7. chanteuse/Sénégal

_____

39A Complete the following sentences using the correct form of the verb **venir**.

1. Quand est-ce que tu _____?

2. Je _____ le 6 juin.

3. Vous _____ d'où?

4. Nous _____ de Guadeloupe.

5. Quand est-ce que grand-mère _____ à la maison?

6. Elle _____ demain.

7. Quand est-ce qu'Alix _____ à la teuf?

8. Mon oncle et ma tante _____ ce soir.

40A Use **du**, **de la**, **de l'**, **de**, or **des** to complete the following sentences.

1. C'est le livre _____ professeur de français.

2. C'est le premier jour _____ mois.

3. C'est la semaine _____ sport.

4. C'est le meilleur cinéma _____ Paris.

5. C'est un film _____ action.

6. Tu as le numéro de téléphone _____ filles de la teuf?

7. C'est un super cadeau _____ anniversaire.

8. Non, nous ne venons pas _____ Canada, nous venons _____ États-Unis.

9. Oui, c'est le copain _____ cousine _____ beau-frère de Marie-Pierre.

41 Write a paragraph about one of your family members. Describe him or her physically and talk about where he or she is from, what he or she does for a living, how old he or she is, what his or her hobbies are, etc. Write a minimum of eight sentences.

_____

_____

_____

_____

_____

_____

_____

_____

_____

_____

_____

_____

_____

_____

_____

_____